光尘

LUXOPUS

不抢跑也能超越

让孩子爱上学习的心理训练法

杨霞

著

北京联合出版公司
Beijing United Publishing Co.,Ltd.

图书在版编目（CIP）数据

不抢跑也能超越：让孩子爱上学习的心理训练法 / 杨霞著 .—北京：北京联合出版公司，2021. 10

ISBN 978-7-5596-5515-8

Ⅰ . ①不… Ⅱ . ①杨… Ⅲ . ①学习方法－家庭教育 Ⅳ . ① G791 ② G78

中国版本图书馆 CIP 数据核字（2021）第 175729 号

不抢跑也能超越：让孩子爱上学习的心理训练法

著　　者：杨　霞
出 品 人：赵红仕
责任编辑：孙志文

北京联合出版公司出版
（北京市西城区德外大街 83 号楼 9 层　100088）
北京联合天畅文化传播公司发行
北京美图印务有限公司印刷　新华书店经销
字数 110 千字　880 毫米 ×1230 毫米　1/32　8.25 印张
2021 年 10 月第 1 版　2021 年 10 月第 2 次印刷
ISBN 978-7-5596-5515-8
定价：59.00 元

版权所有，侵权必究
未经许可，不得以任何方式复制或抄袭本书部分或全 部内容
本书若有质量问题，请与本公司图书销售中心联系调换。电话：（010）64258472-800

前　言

孩子能把学习当作玩就好了

对孩子来说，学习肯定有厌倦的时候，而玩总也没有满足的时候，孩子要能把学习当作玩就好了！其实这并不是难事，了解孩子的心理发展规律，让孩子爱上学习就能成为现实。

很多婴儿害怕洗头洗脸，因为家长在给孩子喂奶时还笑眯眯的，在洗头洗脸的时候就严肃紧张起来，婴儿觉察到了家长的情绪变化，认为洗头洗脸一定是件非常可怕的事。同理，孩子放学回家后本来挺轻松高兴的，家长却一脸严肃地提醒孩子该写作业了，更有甚者还吓唬、威胁、强迫孩子写作业，长此以往，孩子能喜欢学习吗？家长都那么“怕”学习，学习一定不是件好玩的事！如果家长把学习当作好玩的事，在轻松愉快的气氛中与孩子谈论学习，效果就不一样了。例如孩子考试失败了，家长不提考试，却对孩子说："咱们先一起做饭吧，将来开个小饭馆也挺不错的。"孩子可能马上会说："我才不干呢！我还要当科学家呢！"当孩子抱怨老师不公平时，家长如果对孩子说："你们真可怜，这样当老师怎么行呢？你们给校长提提意见吧！"孩子得到了理解很高兴，反而可能会说："嗨，我们老师是第一次当班主任，也挺不容易的！"轻松的心态让孩子觉得学习并非一件辛苦的事。

快乐和痛苦都是相对的，如果拿玩和写作业相比较，孩子当然选择玩，但是如果拿做家务和写作业相比较，孩子大概率会选择学习。如果拿爬山和学习相比，孩子很可能会选择爬山，但是次日再选择爬山还是学习时，孩子们基本会选择写作业了，因为体力已经透支了。人的大脑不同区域主导着不同的重要功能，孩子玩够了，自然就想学习了。我曾经组织一帮被家长认为"厌学"的孩子参加夏令营，我们一天到晚地锻炼、爬山、玩，第一天晚上孩子们就问："老师，咱们什么时候写作业啊？不能老这么玩啊！"所以，家长要协调好劳动、运动和学习之间的关系，要让孩子玩够了，而不要单纯地只抓学习。

家长要注意，不要让孩子从小长时间地玩电脑游戏和看电视，因为这不是真正的玩，大脑依然在紧张地工作，到该学习的时候当然会容易疲倦了。这里说的玩是指劳动和运动性质的玩。

本书介绍了让孩子爱上学习的十大法则和许多技巧，这些法则和技巧遵循了儿童心理学的原理，同时参照了笔者多年的儿童心理咨询和行为矫正的经验，一定会对广大家长有所帮助。祝愿所有的孩子既有快乐的童年，又有成功而美好的未来！

让我们共同为孩子而努力改变自己。

杨霞

于中国协和医科大学基础医学院

目录

法则六　鼓励和赏识使孩子愿意完成学习任务

法则七　帮助孩子调整学习压力，愉快而有效地学习

法则八　孩子的社会交往能力会影响孩子的学习

❖ 法　则　一 ❖

抓住孩子早期学习能力发展的关键期

研究表明，人类大脑的中枢神经系统是由大约 1 000 亿个神经细胞和大约 9 000 亿个神经胶质细胞组成的，胎儿的神经细胞从第 3 个月开始迅速增长，每分钟新增超过 25 万个。人类新生儿是在脑发育未成熟的状态下出生的，出生后大脑还会继续生长发育，完善功能。1 岁宝宝的大脑重量已达到成人的 1/2。0 ～ 3 岁是人的一生中大脑发育最快的时期。神经系统的发育既有阶段性又有连续性，既有可变性又有代偿性。所谓的连续性是指神经系统发育连续不断，阶段性是指神经系统在某一阶段有其敏感期（或叫关键期），在这个阶段应该完成的功能发育就应该完成，错过了可能就终生难以弥补。所谓的可变性和代偿性是指脑组织在受损坏后，在关键期内其他的脑细胞可以代替它的功能。

1

孩子的注意力训练从平衡觉的训练开始

我的孩子出生时胎位不正，难产，而且长辈带孩子，担心发生危险，总是抱着孩子。孩子上学后注意力特别不容易集中，不喜欢好好走路，爱跑步，但是一跑就爱摔跟头。老师说的话记不住，上课不能遵守纪律，爱做小动作，爱说话，我们都怀疑他是不是有多动症！我们该怎么管教这样的孩子？

一位家长

家长在对孩子进行早期训练时更倾向于训练孩子认字、算数、背儿歌、背古诗等，但是，如果注意力不集中，孩子就无法记住家长所教的知识，也不可能坐下来好好听讲。所以，家长应该注意训练孩子集中注意力的能力。心理学家研究表明，注意力与大脑前庭平衡能力有关。

前庭器官是大脑中的重要器官，控制人的重力（地球引力）感和平衡感。人对重力的感受，判断身体与环境的关系，控制身体的平衡，对方向感、距离感的正确掌握，以及翻、爬、坐、站、跑等行动都与前庭器官有重要关系。前庭平衡功能失调的孩子表现为：左右不分，方向感不明，经常磕磕碰碰，喜欢爬高、绕圈子跑，旋转不晕，怕走平衡木，等等。这些孩子在学校里表现得好动不安，注意力无法集中，上课不专心，爱做小动作，喜欢捉弄人，浮躁，爱发脾气，缺乏自信心等。他们挑三拣四，不愿和他人分享玩具和食物，很难与他人分享快乐，不考虑别人的需要，比其他孩子更容易给家长添麻烦。有些孩子还可能出现语言功能发育迟缓、语言表达困难等问题。这样的孩子自己学不到东西，还影响课堂秩序，让老师感到头疼。造成前庭平衡功能失调的原因有：胎位不正，早期活动量不足，爬行不够，长时间使用学步车，家长对孩子的运动限制保护过多等。

怎样才能了解孩子是否存在前庭平衡功能失调的问题呢？家长可以根据孩子的下列行为来判断：

（1）特别爱玩旋转的凳椅而不会晕。

（2）喜欢旋转或绕圈子跑而不晕不累。

（3）虽然视力正常，但仍经常碰撞桌椅、他人、柱子、门墙。

（4）行动时双手协调不良，常忘记另一边。

（5）手脚笨拙，容易摔倒。

（6）俯卧在地板或床上时，头、胸、颈部抬高困难。

（7）爬上爬下，跑进跑出，不听劝阻。

（8）经常不安地乱动，东摸西摸，不听劝阻，处罚无效。

（9）喜欢招惹人、恶作剧。

（10）经常自言自语，重复别人的话，喜欢背诵广告用语。

（11）左右手都用，不固定使用哪只手。

（12）分不清左右方向，鞋子、衣服常穿反。

（13）对陌生地方的电梯或楼梯，不敢坐或动作缓慢。

（14）组织力不强，经常乱丢东西，不喜欢整理。

前庭平衡功能如何训练

对孩子前庭平衡功能的训练应从怀孕时开始。胎儿在前三个月主要发育大脑神经系统，但此时的妈妈们都在比较紧张地“保胎”而很少活动，有的孕妇甚至要在床上躺好几个月。其实，在整个怀孕期间孕妇都应该适当地活动，比如散步、做一些家务等。在孩子出生后，每天都可以让孩子做几秒钟的俯卧抬头、头竖直等训练。适当地摇抱孩子，不要经常让孩子躺在床上看天花板。在孩子 3 个月大时可以训练其翻身，6 个月大时训练孩子坐，7 ~ 8 个月大时训练孩子爬行。据调查，现在有不少孩子还没经过爬的阶段就开始学走路，而心理学家研究发现：充分的爬行训练与孩子的注意力、动作协调性、语言能力等关系密切。所以，家长不要过早地给孩子使用学步车，不要让孩子越过爬行阶段。在孩子 12 个月大时训练孩子走路，然后逐步训练孩子跑、跳、单双腿蹦、上下台阶、走平衡木、坐滑梯、跳绳、拍球、坐旋转游戏车等活动的能力。

2

孩子的本体感训练与动作的速度和协调性

我的孩子是早产儿，小时候身体不好，爱生病，我们怕他感冒，所以经常把他关在家里，很少让孩子外出活动。他的手脚很笨拙，动作缓慢，起床、吃饭都不着急，作业每天都要写到很晚，不管怎么说、怎么奖励和惩罚都不管用，我们该怎样才能让他动作快起来？

一位家长

有些家长来咨询：为什么孩子动作特别慢，写作业拖拖拉拉、经常边写边玩，自觉性、自制力特别差？其实，这些问题与孩子的本体感发展障碍有关，而不是学习态度问题，所以，无论家长如何费尽心思、招数百出都无济于事，这种情况表明需要对孩子进行心理训练和心理治疗。

本体感

本体感是指人对自己身体的感觉，例如，对大、小肌肉的控制，手－眼协调、手－耳协调、身－脑协调、动作灵活和灵巧等。如果大脑对手指肌肉控制不好，孩子写作业自然会慢，而且写字也写不好，容易出格；手－眼不协调的孩子，看到的和写出来的就会不同，常出现抄错数、写字颠倒等问题；手－耳不协调的孩子，听到的与写出来的不一致，听写就容易出问题；身－脑不协调的孩子，大脑对身体控制不良，表现为上课、写作业时身体总是转来转去，不安地乱动，小动作多等。本体感不足的孩子，表现为手脚笨拙、动作缓慢拖拉、消极、没有上进心、缺乏自信心，脾气暴躁、粗心大意等。另外，因为控制小肌肉和手－脑协调的脑神经与控制舌头、嘴唇、呼吸和声带的神经是相同的，所以，本体感不足的孩子，大脑对舌头、嘴唇、声带的控制也不灵活，容易造成语言障碍，如语言发育迟缓、发音不清、大舌头、口吃等。

怎样及早发现孩子的本体感发育失调呢？家长可以根据下列几个方面来检查 3 ～ 13 岁孩子本体感的发育情况：

（1）穿脱衣裤、扣纽扣、拉拉链、系鞋带时动作缓慢、笨拙。

（2）顽固、偏执、不合群、孤僻。

（3）吃饭时常掉饭粒，口水控制不住。

（4）口齿不清，发音不准，语言能力发展缓慢。

（5）懒惰、行动慢，做事效率很低。

（6）不喜欢翻跟头、打滚和爬高。

（7）上了幼儿园仍不会洗手、擦脸、剪纸，以及自己擦屁股。

（8）上了幼儿园（大、中班）仍不会使用筷子、拿笔、攀爬或荡秋千。

（9）对小伤特别敏感，过度依赖他人的照料。

（10）不善于玩积木、组合东西、排队、投球。

（11）怕爬高，拒走平衡木。

（12）到新的环境很容易迷失方向。

本体感不是与生俱来的，需要后天的训练。例如，婴儿期的翻身、滚翻、爬行训练；幼儿期的拍球、滑梯、平衡等训练；儿童期的跳绳、踢毽子、游泳、打羽毛球等训练，对孩子本体感的发育都非常重要。但是，不少家长为了防止孩子摔着，不让孩子到处爬；过早使用学步车，还没让孩子爬就直接让孩子学走路；经常抱着孩子，不让其自己活动；让孩子看电视、看书、学琴、学画画，却很少让孩子运动，结果阻碍了孩子本体感的发展，以致影响后天的学习能力。

口腔肌肉的训练与语言能力有关。家长不要一听到孩子哭就把孩子抱起来，可以适当地让孩子哭一会儿，让孩子感受自己不同的音调、音量，使大脑神经与声带肌肉联系起来。如果是人工喂养，给孩子的奶嘴上的孔不要太大，让孩子通过嘬、吸、咬等动作训练口腔肌肉。小孩子都爱吃手，一开始吃自己的拳头，后来是手指，从把 4 个手指放在嘴里吮吸到减为 1 个手指，这是孩子对自己身体感觉的分化，家长尽量不要限制。

家长要注意训练孩子的生活自理能力，让孩子学习使用筷子，自己洗脸洗手、擦屁股、系鞋带。有的家长觉得孩子手不灵活，总让孩子用勺子吃饭，穿不用系鞋带的鞋子，替孩子擦屁股，更不让孩子做家务。家长可能认为这些与学习没什么关系，其实这样教育孩子会严重影响孩子的自理能力的发展。越是手的动作不灵活、速度慢的孩子，越应该多锻炼。大脑指挥手干活的过程与大脑指挥手写字的过程是一样的，手的动作慢、协调性差的孩子，写作业也会很慢。

现在孩子的活动空间、活动量相比过去减少了，家长更要注意孩子动作协调性的训练，以增强孩子的学习能力。

3

孩子的视觉能力训练与书写阅读能力的培养

我的孩子眼睛没问题，但是一看书就眼睛发酸，不爱阅读，一读书总是磕磕巴巴的，不连贯，丢字多字。写字总也写不好，要么乱写，要么写得潦草，语文成绩很差，我们该怎么帮助他？

一位家长

阅读障碍是学习障碍的一种，主要表现在小学阶段。家长和老师发现有些孩子读课文时结结巴巴、丢字落字、错字错行，还以为是孩子看书不认真造成的，就经常训斥或讥讽孩子，或者认为孩子的大脑发育有问题。实际上，孩子的这种行为不是态度问题，也不是智力问题，而是学习能力发展不足造成的。

美国心理学家研究发现，孩子的阅读障碍主要表现在以下几个方面：

（1）阅读习惯

- 朗读时摇头晃脑。
- 朗读时，读着读着就不知读到何处了。
- 朗读时情绪不安。
- 朗读时用手指着字读。
- 不喜欢读书。
- 读书时书捧得太近或太远。
- 读书时头部歪斜或书本歪斜。

（2）朗读声音

- 朗读时声音过高或过低。
- 朗读时音色单调。
- 声音强度过高或过低。
- 不能清晰地发音。

（3）朗读错误

- 朗读时添加字词。
- 朗读时遗漏字词。
- 朗读时重复字词。
- 朗读时某些字词用其他字词代替。
- 朗读时经常自己错了又纠正。

为什么孩子会有阅读障碍

造成阅读障碍的原因是多方面的，首先是身体方面的因素。例如，视觉功能障碍、眼球振动不平稳，就会造成读书时跳字、串行等情况发生；听觉功能有障碍时，就会出现读而不闻、读而不懂的情况；另外，失语症、大脑麻痹、智力障碍和运动失调等大脑神经功能障碍也会造成阅读困难。

其次是情绪因素，例如有的孩子有严重的胆小、自卑情绪，不敢在课堂上朗读，结果越不加强训练就越有障碍。还有的孩子非常敏感，特别在意别人对自己的评价，生怕读错了会引起同学们的嘲笑，所以朗读时忧心忡忡，不能轻松流畅地阅读。

最后是教育方法的问题。对于那些智力或能力不高的孩子，如果家长和老师一味地逼着孩子练习阅读，而不是用科学的方法进行特殊训练，就会长时间不见成效，孩子也会产生很大的心理压力，对阅读更加有抵触情绪，甚至产生厌烦心理。而对于智力和能力较高的孩子，如果一味地让他们重复简单的课文，他们也会变得敷衍了事。

对于有阅读障碍的孩子，家长和老师要学会用正确的态度看待孩子的问题，尽早求助于心理医生进行科学的神经功能训练，提高孩子的学习能力，而不是一味地逼孩子多阅读，这样只会治标不治本。

如何培养孩子的书写能力

生理心理学家研究发现：孩子骨骼、肌肉的发育遵循两个基本规律，一是由首向尾发展，即按照头部—颈部—胸部—骨盆的顺序逐步发育；二是由近向远发展，即由身体中心部位向外围部分发展，例如，上肢的发育是按照上臂—前臂—手的顺序发育。孩子的写字能力是基于手腕和手指的骨骼和肌肉，家长在教孩子写字时往往注重孩子握笔的姿势、笔画的工整、练字的时间等，而忽略了对孩子骨骼和肌肉的有序训练。如果孩子的上肢大肌肉没有得到很好的训练，那么，手部小肌肉就不能得到很好的应用。握笔写字是小学生的重要学习任务，字写不好、写得慢或潦草会极大地影响学习效果，家长的督促也会事倍功半。

根据科学规律训练孩子的写字能力，首先要在婴幼儿期训练孩子的大肌肉群，训练的主要内容如下：

1 ~ 4 个月　训练抬头动作。

3 ~ 7 个月　训练翻身动作。

4 ~ 10 个月　训练坐的动作。

5 ~ 9 个月　训练爬行动作。

6 ~ 12 个月　训练站立动作。

10 ~ 18 个月　训练行走动作。

1 岁半～3 岁　训练跑步动作，训练上下楼梯，训练投掷动作。

2～3 岁　训练跳跃动作（双脚跳），训练攀登动作，训练平衡动作，训练体操类动作。

4～6 岁　训练单脚站立、拍球、跳绳、滑滑梯、走平衡木、抛接球、网缆插棍、趴地推球等。

如果在上学以后，孩子在上述大肌肉群运动能力发展方面仍然存在不足，例如不会跳绳、仰卧起坐等，那么，要在心理医生的指导下，尽早加强孩子的大肌肉群的训练，然后进行小肌肉群的训练，这样孩子的写字能力才会有根本性的提高和改善。

4

孩子的听觉能力训练与听课、记忆能力

我的孩子上小学二年级，上课不会听讲，不能理解老师的话，也记不住作业，不会描述学校里发生的事。一年级学的知识有很多都忘记了，有时甚至前一天学的东西第二天就忘到脑后了。老师说他脑子好像没有带到学校来。他是不是脑子有问题？我们应该如何帮助孩子？

一位家长

有些家长来咨询，问自己的孩子为什么不会听课。这些孩子听课时，思路好像没有跟着老师的指引走，信息没有进到大脑里去，老师说的话记不住或记不全。例如，记不清楚老师布置了什么作业、有什么要求，回家后只能问其他同学。有时候孩子因为记不住作业而没写，家长却以为孩子说谎、不爱写作业。有的孩子在学校听讲时常听不懂，回家后在家长的辅导下

却又理解得很快；自己看书理解没有问题，听别人讲就有些理解障碍。还有的孩子听觉记忆有问题，老师刚说过的话，他也有可能忘得一干二净，等等。这些问题都是孩子听觉能力发展不足造成的。他们的听力没有问题，但是，在听觉器官把信息传入大脑、大脑再储存信息、指挥躯体行动的过程中出现了某些障碍，使孩子在听觉理解、听觉记忆、听觉行动方面出现了不协调，影响了学习效果。

为什么会听觉能力发展不足

造成孩子听觉能力发展不足的原因是多方面的，胎位不正、早期前庭器官训练不足、平衡能力训练不足等都有可能造成听觉能力发展不足，那些从来都不怕被转晕的孩子，就是前庭平衡器官对外界信息不敏感，信息传递不到大脑中去；而那些特别怕被转晕的孩子正相反，外界无关信息特别容易干扰其学习活动，造成孩子注意力不集中。在上学前，这些孩子的听觉问题并不明显，家长只是觉得有时叫孩子，他会充耳不闻，叫几遍都不理睬。幼儿园的老师会发现这些孩子上课走神，学了就忘。到了小学阶段，许多听觉问题就会显露出来。在小学和中学期间，孩子上课主要是以听为主，所以，听觉能力有问题会严重影响孩子的学习。

听觉能力如何训练

孩子有听觉能力障碍怎么办呢？由于孩子的听觉能力障碍源于大脑中枢神经的功能失调，所以，只是一味地训练孩子反复背课文、听写、听录音等技巧并不能从根本上解决问题。心理治疗学家研究发现，在 13 岁以前通过强化心理训练也可以促进孩子听觉能力的发展。例如感觉统合训练中的滑梯、平衡木、旋转圆筒、跳绳、拍球等活动都是有针对性的训练。

5

孩子语言能力的发展

我的孩子已经上一年级了，但是日常和人交流都存在很严重的问题。特别不爱说话，问他问题，他半天也答不上来，让他转述老师布置了什么作业、有什么要求，他很难表达清楚，说话发音不清，也不爱读书，我们能怎么帮助他呢？

——一位家长

有许多家长反映自己的孩子存在语言发展方面的问题，例如不爱说话、发音不清、不爱读书和写字表达、不会复述别人交代的事情、不会与人有效沟通以致影响人际交往等。

我们先来看看孩子的语言能力是怎样发展的。

孩子的语言能力包括听、说、读、写四个方面，它们并不是与生俱来的，而是需要经过后天的训练才能逐渐发展起来的。许多家长并不了解应该在什么时候、采取何种方法对孩子进行语言能力的训练，只是当发现孩子说话大舌头、结巴、阅读困难、读书眼酸、写字笔画颠倒、字迹难看等问题时，才意识到孩子在语言能力方面存在问题，家长应该怎么帮助孩子发展其语言能力呢？

听觉对语言能力的影响

孩子的语言功能在很大程度上依赖于听，他们通过听大人讲话、和大人沟通来模仿和学习语言，如果孩子的听觉功能发育不好，势必会影响语言能力。这里的听觉不是指听力，听力是指能听到多少声音，而听觉是指听到什么。例如，孩子说话“大舌头”，原因之一就是听觉分辨能力有问题，他们听到的也许就是含混不清的内容。还有的孩子上课虽然也听课，可就是记不住老师说的话和留的作业。这些问题都需要在专门的训练中进行矫治。感觉统合训练中的旋转圆筒、滑梯、滑板等训练，以及音乐治疗中的音高、辨音、听觉记忆等训练都可以解决这些问题。

孩子语言的能力培养不仅在于“教”，更重要的是训练和说话有关的大脑功能，从图 1-1 中我们可以了解到和语言发展有关的内容：

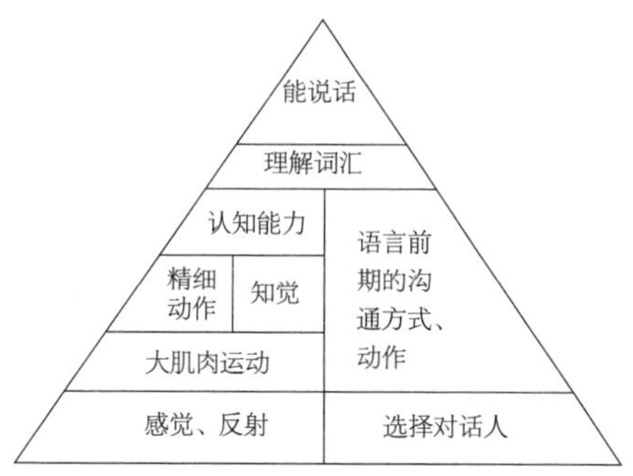

图 1-1　幼儿语言发展顺序图

孩子语言能力的发展需要时间，家长应该有足够的耐心并掌握科学的指导和训练方法。

智力发展水平对语言能力的影响

语言是孩子心理发育的一面镜子，通过观察孩子说话，家长可以了解孩子的智力发展水平；通过检查孩子的语言障碍，家长可以发现孩子的心理疾病。孩子的语言障碍有以下几种：说话晚，发音不清，大舌头，口吃，词汇贫乏，抽象能力差，表达不清；话多，滔滔不绝，只顾自己说不听别人讲；会说话，但拒绝和别人沟通，等等。有些家长以为孩子说话有问题可能是舌系带短，就带孩子去做手术；有的家长认为聪明的孩子说话都晚；还有的家长认为孩子说话是自然而然的事，不用管。这些观点都是片面的，当家长发现孩子有语言障碍时，不要掉以轻心，应当带孩子去找心理医生检查病因。

一般正常的孩子在一岁至一岁半开始说话，最晚在两岁之前，如果孩子说话晚，语言发育迟缓，首先要检查孩子的智力发展水平，智商越低的孩子语言能力越差。也有智力正常的孩子存在语言障碍，例如，听觉分辨能力差会影响孩子的发音。孩子在婴儿期通过哭来练习发音，通过吸吮动作来锻炼口腔肌肉运动，如果家长不让孩子哭，或孩子哭得很少，奶嘴眼儿太大、吸吮用力不足，就容易造成音带、舌头、口腔肌肉训练不足，以致孩子说话“大舌头”。本体感差的孩子，大脑神经对声带、舌部、唇部的控制不协调，容易引发思维与发音不同步，造成口吃，表达困难。前庭平衡能力失调的孩子，话多，缺乏抽象概括能力，说话没有条理，喜欢重复广告词，说话絮絮叨叨，但别人听不明白他在讲什么。

有 75% 的孤独症儿童同时患有智力发育迟缓，造成语言发育迟滞。有 25% 的孤独症儿童在 1 ～ 2 岁时会说话，但到了 4 ～ 5 岁时却拒绝说话，不与别人沟通，或者只是刻板地重复别人的话。

通过检查孩子的语言障碍，可以了解孩子存在哪些心理发育方面的问题，然后进行有针对性的矫治。

怎样判断孩子是否存在语言发展障碍

语言发育是智力发育的重要标志，当孩子到了 2 ~ 3 岁以后出现不说话、说话晚、发音不清、口吃等问题时，家长才开始着急就有些晚了。其实，家长从孩子刚出生时起，就可以逐月检查孩子的语言发展情况，以便及早发现问题，从而及早进行训练矫正。

1 个月　在清醒时，能发出细小柔和的喉音。

2 个月　会发 a、o、e 等元音。

3 个月　能发出咯咯的笑声。

4 个月　在安静时会咿呀自语，高兴或不满时会大声喊叫。

5 个月　咿呀学语，看到熟悉的人和物时会咿咿呀呀地好像“说话”。

6 个月　听到别人叫自己的名字会转过头。

7 个月　无意识地发出 da-da、ma-ma 的声音。

8 个月　会模仿弄舌声或咳嗽音。

9 个月　会做欢迎、再见的动作。

10 个月　会模仿大人发单字音。

11 个月　有意识地发单字音，会用单字音表示人、物或动作。

12 个月　把玩具给孩子，再索要回来时，孩子能够给回来。

15 个月　能根据大人的问话，指出眼、耳、鼻等 3 个以上的身体部位。

18 个月　能根据大人的要求，把物品送到指定地方；能有意识地说出 3 ～ 5 个字音（爸、妈除外）。

21 个月　能说出 3 ～ 5 个字组成的句子，能回答“这是什么”等简单问题。

24 个月　能说出两句或以上的儿歌，会主动问“这是什么”。

27 个月　会说 8 ～ 10 个字的句子。

30 个月　能说出 10 种图案。

33 个月　能根据问话说出自己的性别。

36 个月　懂得回答“冷了、饿了、累了怎么办”等问题。

42 个月　会说反义词。

48 个月　知道苹果一刀切开有几块。

54 个月　会回答“人为什么要穿衣”“眼睛有什么用”等问题。

60 个月　会回答“人为什么要上班”“房子为什么有窗户”等问题。

如果孩子的语言发展晚于上述月龄，那就要找心理医生做一些心理检查，并及早进行训练。

如何训练矫正孩子的语言障碍

儿童语言的发展包括两个方面：一是对语言的理解；二是主动说出语言，孩子往往是先理解语言，再说出语言。但是，孩子语言功能并不是自然而然地发展起来的，例如，从小和狼一起长大的“狼孩”，除了会嚎叫以外，语言能力很难发展起来；从小生长在很少受到关注的环境中的孩子，语言能力也较差。心理学家研究发现，0 ~ 7 岁是孩子语言发展的关键期，如果这一时期没有及时予以孩子刺激和训练，那么孩子很容易产生语言障碍，甚至会影响其将来的心理发展。

在 1 岁以内，语言训练应着重于主动对孩子说话，即使是 1 ~ 3 个月的婴儿，也会对声音有听觉反应，能辨别声音的来源，会咿呀发声，能辨别讲话人的感情等。家长不要忽略了这一时期孩子的语言发展需要，要多给孩子听丰富多彩的声音，包括音乐、儿歌、故事、自然界的各种声音等。不要将孩子限制在一个非常安静的环境中，也不要只给孩子单调的声音刺激。孩子最喜欢看微笑的人脸，所以，家长要多对孩子说话，多和孩子沟通感情，多带孩子到大自然环境中去感受新鲜丰富的声音。

孩子会说话以后，家长不要只满足于教孩子认字、背诗等，还应注意训练孩子的平衡能力和本体感。有些语言障碍是由智力障碍造成的，如说话晚、发音不清、不能理解别人说话等问题，这就需要在专家的指导下，进行智能训练和开发。儿童孤独症造成的不说话、不与别人沟通等语言障碍，则需要特殊的心理训练来矫正，机械地训练孩子说话并不能解决根本问题。研究和临床实践证明，通过感觉统合训练和音乐治疗可以训练孩子与外界沟通的能力。孩子的语言训练和障碍矫正越早干预越好。

6

孩子的良好情绪与社会适应能力

> 我的孩子今年上四年级，学习很要强，每次考试没得第一名就不行。脾气很大，不如意就会发作，大喊大叫，甚至在地上打滚，脾气上来时很固执，谁劝都不听。行动很刻板，不喜欢变化，与人交往也不灵活，别人不喜欢他，他也感觉不到，这该怎么办？
>
> 一位家长

孩子会有哪些情绪问题

家长和老师一般都更加关注孩子的学习成绩和身体健康，很少关心孩子的情绪问题，往往要等孩子身上发生严重事件了，才后悔自己关心得太晚了。例如，有一个 14 岁的孩子，因为学习压力过大而自缢身亡；一些孩子因为厌烦学习而离家出走；

许多孩子经常和家长发生冲突，如发脾气、摔东西、大哭大闹等等。孩子的情绪问题会进而影响孩子的性格成长、人际关系、社会适应能力和将来能否在社会上取得成就，所以，家长和老师要注意对孩子健康情绪的培养。

1. 学龄前的孩子

不同年龄的孩子有不同的情绪问题。学龄前的孩子主要有：胆小、易退缩、爱哭、爱挑剔、怕黑、黏人、不会和人交往、打人、咬人、吃手、触摸生殖器、挑食、无理取闹、不听话等等。这些问题的突出表现为：不适应幼儿园，哭闹时间长，不能和小朋友友好相处，在公共场合不敢表现自己，在家时脾气急躁，不愿意离开家长，特别容易有不满意的情绪。早产、剖宫产、难产、母亲抚育时间少、被家长溺爱的孩子更容易出现情绪问题，对这样的孩子进行责骂和惩罚只会加重问题，家长需要改变自己的教育方法。应该多对孩子进行专门的触觉训练，例如，婴幼儿抚触训练，让孩子玩土、沙子和水，玩大笼球、羊角球、袋鼠跳和海洋球池，还要引导孩子多和同龄的小朋友玩耍。

2. 小学时期

小学生的情绪问题主要有考试紧张、上课不敢发言、心重焦虑、有睡眠障碍、敏感爱哭、爱咬指甲或笔头、爱打人、爱招惹他人、情绪不稳定、注意力不集中、考试成绩不稳定等等。为了改善这些问题，胆小敏感的孩子可以多练游泳、垫上运动、弹跳运动、滑梯、蹦床等，爱打人、招惹他人的孩子要多进行挤压触觉训练，如彩虹筒、大笼球、大陀螺、网缆等。老师要多鼓励孩子，在孩子有缺点错误时不要讽刺挖苦，因为讽刺挖苦不但不会让孩子改掉毛病，反而会伤害孩子的自尊心和自信心，还会使之产生逆反情绪。说孩子“笨”“懒”“没礼貌”“没法教了”等都属于人格侮辱，批评时应该对事不对人，注意维护孩子的情绪。

3. 中学时期

中学生的情绪问题表现得更为突出，如厌学、逃学、早恋、交友不慎、上网看视频和玩游戏成瘾、对家长或老师逆反、内向孤僻不合群、敏感自卑、不能承受困难和挫折、不容易适应新环境、考试紧张缺乏自信、过分关注自我形象等等。这些情绪问题会严重影响孩子的学习，需要家长、老师、心理专家一起配合对孩子进行心理辅导，从学校、家庭、孩子本人三个方面进行调整。

孩子的情绪问题会在童年时出现萌芽、青春期初现雏形，青年期开始定型，到 25 岁时基本稳定。因此即使在青春期，孩子出现了一些看上去很严重的问题，老师和家长也不要放弃对孩子的希望，要学习用科学的方法来帮助孩子。

怎样通过触觉敏感训练，在早期提高孩子的情绪稳定性

有的家长发现孩子虽然很聪明，胆子却特别小，上课不敢

发言，不会和小朋友玩，考试爱紧张，爱发脾气，情绪不稳定；还有的孩子爱吃手、咬指甲，爱招惹他人、玩生殖器等，这是怎么回事？

对孩子的健康成长来说，家长的教育方式和早期心理训练至关重要。家长自身情绪焦虑、粗暴、爱发脾气、给孩子过多压力，或者对孩子溺爱、过度保护等，都会影响孩子的情绪。另外，心理学家研究发现，早期触觉学习不足也会造成孩子敏感、胆小、容易紧张等问题。

在孩子小的时候，家长一般比较注意对其视觉、听觉等的训练，往往忽视了对触觉的训练，但触觉的发展对心理发展有重要的作用，与情绪、性格的发展也有很大关系。人类在胚胎时期，共有三层结构，内层发展为内脏，中层发展为骨骼肌肉，外层形成皮肤和脑神经细胞，所以，婴幼儿期的皮肤触觉非常敏感。孩子在出生时就要经过产道的挤压，受到特殊的触觉刺激；在成长过程中，吸吮乳头、受到母亲的爱抚、和兄弟姐妹玩闹等活动，都是触觉学习。如果孩子是剖宫产、人工喂养（缺乏母乳喂养）、独生子女（缺乏兄弟姐妹）、早期被过度限制活动等情况，就容易触觉学习不足，出现触觉敏感问题。这样的孩子比较容易神经质、情绪不稳定，容易紧张、爱哭，害怕人多的地方，甚至不愿上学。他们大多比较孤僻，不会交朋友；或者爱招惹他人、黏人、固执，没有耐心和恒心。如果是嘴巴部位的触觉过度敏感，就会出现爱吃手、爱咬指甲、爱咬嘴唇，甚至咬人、挑食、偏食、厌食等问题。

家长可以对照下列现象来检查孩子有无触觉训练不足的问题：

（1）对亲人特别暴躁，强词夺理，到了陌生环境就会害怕。

（2）害怕到新场合，常常不久就要求离开。

（3）偏食、挑食、不吃青菜或食物的软皮。

（4）害羞不安，喜欢独处，不爱和别人玩。

（5）容易黏妈妈或固定的某个人，不喜欢陌生环境，喜欢恐怖镜头。

（6）看电视或听故事时，容易大受感动，大叫或大笑。

（7）严重怕黑，不喜欢待在空房间，去哪里都需要人陪。

（8）早上赖床，晚上不睡，上学前常拒绝到校，放学后又不想回家。

（9）容易生小病，生病后常不想上学，常常没有原因就拒绝上学。

（10）常吮吸手指或咬指甲，不喜欢别人帮助自己剪指甲。

（11）换床睡不着，不能换被子或睡衣，外出常担心睡眠问题。

（12）独占性强，不让别人碰他的东西，常会无缘无故地发脾气。

（13）不喜欢同别人谈天和玩碰触游戏，视洗脸和洗澡为痛苦的事。

（14）过分保护自己的东西，尤其讨厌别人从后面接近他。

（15）怕玩沙土、水，有洁癖倾向。

（16）不喜欢和人直接视觉接触，常必须用手来表达其需要。

（17）对危险和疼痛反应迟钝或反应过于激烈。

（18）对别人的话充耳不闻，过分安静，表情冷漠又无故嬉笑。

（19）过分安静或坚持奇怪的玩法。

（20）喜欢咬人，并且常咬固定的友伴，无故碰坏东西。

（21）内向、软弱、爱哭，并且常会触摸生殖器。

触觉训练应从孩子一出生就开始，母亲对孩子要多爱抚、拥抱，不能为了自己轻松，把孩子交给长辈或保姆就不管了。要尽可能用母乳喂养，迫不得已用人工喂养时，不要催促孩子“快喝！快喝！”或以紧张、焦虑的心情期待孩子赶快喝完。孩子在两岁之内爱吃手、吃毛巾、咬东西等是正常的，不要限制，注意清洁卫生即可。多让孩子在地板上爬行、打滚、翻跟头，多和其他小朋友接触。让孩子玩土、泥巴、沙子、石子、水。孩子洗澡后，用粗糙的毛巾为其擦身体，用毛刷、羽毛刷身体。用冰袋、热水袋慢慢接触孩子，用电吹风向孩子身体吹热风或冷风，让孩子感觉温度。用大毛巾被把孩子卷起来，或把孩子放在两个棉垫之间，轻轻压，让孩子感觉身体压力。大一些的孩子可以进行羊角球、袋鼠跳、游泳等活动。这些触觉训练活动可以训练到孩子 12 岁。

培养孩子的社会适应能力

不少家长都希望自己的孩子越单纯越好，接触社会复杂环境越少越好，从小给孩子提供的教育方式、教育内容、生活环境更是纯一不杂。但是，我们现在提倡给孩子的教育应该是为了让孩子更好地适应社会的需要。

实际上，当代家庭的现状本来就使孩子接触别人的机会减少，家长更未有意识地多给孩子提供接触社会的条件。有的家长在孩子上幼儿园之前，把孩子交给爷爷奶奶或保姆抚养，而长辈或保姆经常把孩子限制在屋子里活动，或者经常抱着孩子，不让孩子自由行动，有不少孩子都没有经过必需的爬行阶段。除此之外，他们这儿也不让孩子摸，那儿也不让孩子去，这样的限制下，孩子确实不会接触到危险因素，但是这大大影响了孩子的身心发育和智能发展。孩子到了学龄期，就极容易因为前庭功能发育不足而出现注意力不集中、动作拖拉等学习能力障碍。有些家长很少带孩子去户外游玩，不让孩子到别人家串门，孩子只能接触到有限的几个家里人，结果孩子的性格变得胆小、内向、孤僻、不会和别人交往，有的孩子一到陌生环境、见到生人就哭，到了公园也不敢玩游乐设施。有位家长忙于工作，把孩子放在姥姥家。姥姥怕孩子出去“学坏”，就把孩子关在家里看电视、看书，这个孩子长大后性格特别孤僻，胆小退缩，好幻想，神经质，最后得了强迫性思维。还有的家庭是由母亲带孩子，父亲忙于工作，儿子和母亲在一张床上睡觉，总是和母亲黏在一起，感情上完全依赖母亲，导致孩子的性格偏女性化。

有的家长在价值观念上对孩子的教育过于单一。有个初中生性格懦弱，在班上一个朋友也没有，别人问他为什么不交朋友，他说：“他们都不是好孩子，因为他们说话带脏字，妈妈说，讲脏话的孩子不是好孩子，所以我不能和他们玩。”有位模范教师的女儿考上了大学，但不愿意住校，不愿意和同学交往，别人问她为什么。她说是嫌同宿舍的同学吃饭会发出声音、咳嗽时不捂嘴、睡觉前爱说话等，所以不愿意和其他同学一起生活。原来她妈妈经常要求她吃饭不要出声，咳嗽要捂嘴，睡觉前别说话。她家庭条件很好，自己有单独的房间，没有人打搅她，以致她认为所有人都应该同她一样，一被人打搅她就觉得厌烦，无法忍受。在学校她也不参加课外活动，她说：“妈妈说过，在学校做与学习无关的事就是犯罪。”这位妈妈对孩子的学习很重视，以为自己对孩子的教育很成功，其实孩子对环境的适应性很差，这严重影响了孩子的学习生活。这个结果是这位做教师的母亲没有预料到的。许多家长习惯于对孩子说教，给孩子现成的答案，经常告诉孩子“你不应该这样，应该那样，你这样不对”等，很少启发孩子自己思考、自己面对困难和解决问题，致使孩子对事物没有自己的判断力和价值观，生理上早熟，心理上幼稚。

有的家长在孩子生活方面包办代替，什么家务都不让孩子做，更不让孩子参加社会活动（打工、外出办事、交际等），以致孩子的动手能力、独立解决问题的能力、责任心、自信心、社会适应能力都很差，当他们遇到困难和挫折时就不知所措，上大学后不适应学校生活，参加工作后不会解决社会实际问题，单纯幼稚，不会处理人际关系，只会死读课本等。有个五年级的小学生，家长除了让他学习和练琴之外，什么也不让他做，包括看电视、玩游戏、运动、与人交往、做家务等。孩子的学习成绩很好，小提琴考到了八级，但因压力过大、生活过于单调而患了精神分裂症。还有一位某省高考状元，毕业参加工作后什么实际工作都担不起来，除了读书什么都不会，后来精神上出现了幻觉和妄想。

生活是复杂的，但有的家长给孩子的教育、给孩子提供的生活环境过于单调，使得孩子没有机会发展自己各方面的能力。这些家长应该深刻反省自己的教育观，应按社会的需要培养孩子的适应性，而不能按照自己的意愿培养孩子的单纯性。

❖ 法　则　二 ❖

让孩子像
爱玩那样
热爱学习

孩子天性就爱玩，也爱学习和探索新事物，他们原本分不清什么是玩、什么是学，可以说是玩中有学、学中有玩。但是，家长往往把学和玩对立起来，过分强调学习的重要性，而忽略了玩也是孩子的成长所必需的。结果家长的焦虑情绪和粗暴简单的督促行为，激起了孩子的逆反情绪，尤其是对于青春期的孩子，越是逼迫他去学习，孩子反而对学习越反感。所以，家长需要自己先摆正学和玩的关系，根据孩子的心理发展规律加以引导，这样才能让孩子像爱玩那样热爱学习。

1

小眼睛中的大世界，激发孩子去观察

我的孩子上二年级，比较乖，喜欢安静，习惯在家看电视、看书，不爱出去玩，在学校也不主动和小朋友玩，很被动的样子，而且对什么都没有太大的兴趣和热情，我们家长说什么，他就干什么，和小朋友在一起玩的时候也都是听别人的。我们经常要猜他的想法，别人都说我家孩子很听话，我们却觉得他的主动性不够。另外他写作文也比较费劲，经常想不出有什么可写的，表达能力也比较欠缺。

一位家长

心理学家研究表明：人的智力是注意力、观察力、记忆力、想象力、思维能力和操作能力的综合。刚出生的孩子大脑就像一张白纸，需要通过其感觉器官去接收外界丰富多彩的信息。如果家长没有给他们提供接触外部世界的机会，孩子便无从得到信息，也无法加工信息，当然智力发展就会受到严重影响。

孩子首先是通过自己对周围世界的观察来接收信息的，其观察能力也是需要家长注意培养的。有的孩子最怕写作文，一篇文章要写半天，内容就像流水账，干巴巴的，缺乏感情色彩；有的孩子对周围丰富多彩的生活事件反应冷淡，没有觉察，连很多常识都不知道，这些都是由于孩子的观察力发展不足造成的。所以，要提高孩子的学习能力尤其是表达能力，首先要提高其观察能力和注意力。

观察力的培养

观察力是孩子心理发展的一部分，是从小培养和发展起来的。孩子的年龄越小，观察力就越差，越需要有意识地进行训练和培养。随着孩子年龄的增长，家长要注意孩子观察力的发展是否正常。

首先，要看孩子观察事物时是否具有随意性和目的性。例如，他能否按照你所指的方向去看一件东西，并持续一段时间，如果孩子的注意力特别容易分散，一会儿看这边，一会儿看那边，不稳定，那就是有一定问题。如果孩子对某些东西比较感兴趣，家长要有意识地带孩子去接触。例如，观察动的东西，如行驶的汽车、爬行的虫子、飞鸟、动物园的动物等；观察人的笑脸，如去亲戚朋友家串门、去参加小朋友聚会、去公园等人多的地方，去旅行等；观察大型的奇特的东西，如恐龙模型、火车、大型卡车、沙漠、大海、草原、马和大象等。孩子在1～3岁时喜欢问“这是什么？”，4～5岁以后喜欢问“为什么？”，这就需要家长给孩子提供接触外界的机会来促使孩子观察、思考和表达。带孩子接触的外界信息越多，孩子的大脑细胞就被激活得越多，智力发展得也就越充分。

其次，要看孩子观察得是否细致。因为观察力差的孩子往往只注意事物的轮廓，不太注意事物各部分之间的关系，对自己喜欢的东西观察得比较细，对不感兴趣的事物则熟视无睹。这时，家长要做好榜样，如果家长只关注周围环境脏不脏、危险不危险，根本不去关心周围世界的奥秘和美好的景色，那么孩子也会受到家长的影响。家长要有善于观察的眼睛和启发孩子的态度，但不要强迫孩子去看，而要引领孩子去体味。

再次，要看孩子观察事物的独立性。孩子往往易受家长和老师的影响和暗示，不会用自己的语言来描述自己所看到的事物。家长一方面要回答孩子的问题，给予孩子正确的回答，不知道的不要胡乱编造，而是建议回去查资料。另一方面，家长要启发孩子表达自己观察的结果，比如装作自己不知道，请孩子告诉自己这是一种什么感觉，也可以和其他小朋友一起，比赛似的竞相说出自己的不同感受。

最后，要看孩子的观察力是否具有稳定性。比如，孩子观察事物时是否持续的时间短，易受无关刺激的干扰而转移目标。家长带孩子外出时，遇到孩子感兴趣的事物，要支持孩子集中精力关注这一事物，不要人为地干扰，例如催促孩子赶紧走、让孩子在观察的期间吃东西、一停下来就让孩子喝水等，应该让孩子有时间去观察他喜欢的事物，像放风筝、看蚂蚁搬家等都是很好的观察活动。

孩子注意力的发展是在丰富的环境中发展起来的，大自然是最好的课堂。家长要经常带孩子置身于大自然中看、听、嗅、触摸、品尝各种感觉信息，在体验过程中多向孩子提问题，也尽量让孩子多问问题，鼓励孩子发表自己的看法。家长要多指导孩子观察事物的规律和观察分析的顺序。可以和孩子比赛，看谁能发现更多的细节，或是比赛看谁能够快速地搜索出某个目标等。家长要经常地、有意识地带孩子多接触自然环境，帮助孩子打开感觉的“毛孔”。

2

大自然吸引好奇心，让孩子在大自然中学习

我的孩子刚上小学，只关注吃和玩，不爱学习，看电视看一天都可以，好奇心也很强，就是对学习没有兴趣。我们很担心，也很希望她能爱看书学习，我们该怎么引导她呢？

一位家长

孩子的好奇心是天生的，家长要善于引导，从玩中启发孩子的学习兴趣。在这个世界上，没有比大自然更好的老师了。它的胸怀如此宽广，知识如此丰富。它生动具体地将世界的万事万物展现在孩子面前，让他们看、摸、闻、听，甚至品尝。它鲜艳的色彩、娇美的姿态、动人的音响以及神奇的变化，都吸引着孩子的好奇心，激发着他们探索的欲望。父母的责任是尊重孩子的好奇心，引导孩子到大自然中去学习，去探索。

适合让孩子在探索中学习的活动

观察、喂养小动物：孩子们最喜欢观察昆虫的活动，蚂蚁、蛐蛐、瓢虫、蜻蜓、蝴蝶都是他们喜爱的对象，家长可以借机告诉孩子哪些是害虫、哪些是益虫，蚂蚁的力量有多大，蝴蝶是由青虫变来的……观察昆虫的体态结构、追逐昆虫的同时也能训练孩子的视觉能力。家长还可以带领孩子喂养刺猬、兔子、小鸡、小乌龟、小鸟等小动物，鼓励孩子观察动物的生活习性，要求孩子按时喂养它们，为它们打扫卫生，培养孩子的责任心和爱心。

观察植物：孩子对植物的兴趣一般逊于动物，家长可以让孩子闻闻花、草的气味，告诉孩子植物的名称，让孩子拿不同形状、颜色的叶子拼成美丽的图案，还可以通过种树，让孩子了解生命成长的过程。

观察四季的变化：一年四季的变化，可以给孩子提供无穷的观察内容。春天，气温变暖，大树和小草冒出了绿芽，五颜六色的花儿开了，小鸟都飞出来了。夏天，田野里的庄稼碧绿、饱满，树上的知了不停地叫，萤火虫在黑夜里飞来飞去，小青蛙在水里嬉戏。秋天，树叶变红、变黄了，庄稼和水果都成熟了。冬天，天气寒冷，但堆雪人、打雪仗是所有孩子的爱好，孩子们可以在玩耍的过程中观察雪的形状，了解结冰的过程。

观察星空：观察月亮大小的变化，了解星星的名字、位置，让孩子的想象力插上翅膀在天空翱翔。

观察天气的变化：如晴天、雨天、雪天、雾天各有什么特点，不同天气中皮肤触觉有什么不同。

玩水：所有的孩子都喜欢玩水。家长可以把一小块塑料、海绵、铁块、开着的瓶子和盖着的瓶子一起放到水里，让孩子观察哪些可以漂起来，哪些会沉下去。游泳时可以让孩子感觉水的浮力。家长还可以和孩子一起观察烧开水的过程。

寻找目标：让孩子尽快搜索环境中的某个目标，和其他人比赛看谁找得快，训练孩子的观察力和注意力。

让孩子自己动手解决问题：在野外辨别方向，寻找水源，识别可食用的植物，解决取暖问题等，不要把孩子的方方面面都照顾得很周到，要适当创造一些困境磨炼他。

在自然环境中可以教给孩子许多科学知识和生活常识，磨炼孩子的意志力，在孩子好奇心的带动下，训练孩子的观察力和注意力，启发孩子的学习兴趣。

3

在模仿中学习，让孩子在交往中学习

我的孩子比较孤僻，不爱与小朋友交往，学习成绩还可以，但是表达能力一般，胆子比较小，爱黏大人，做什么都希望大人陪着，怕黑，不敢一个人睡觉。早晨起床、写作业都特别拖拉，我该怎么帮助他？

一位家长

在交往中学习是孩子成长中特别重要的环节，孩子能够从中学习到书本上没有的知识，也能够学习到家长无法教的能力，例如，语言表达能力、解决矛盾冲突的能力、协作能力、自主性、价值观、调节情绪的能力等。此外，孩子还能够从人际交往中获得快乐。孩子不是天生就会与人交往的，遗传虽然会决定一部分，更多地还需要后天的培养和训练。

有一位家长对自己 3 岁的女儿说：“如果别的小朋友打你

一下，你就打他两下。”结果两年以来，孩子在幼儿园虽然没有吃过亏，但是委屈地说：“怎么没有小朋友愿意和我玩啊？”这位家长闻言茫然。

另外一个孩子从小是由爷爷、奶奶带大的，在家里是一个名副其实的“小太阳”，家里人无论什么都先满足他，有时家里有小朋友来玩，不管来的小朋友比他大还是小，他从来都不谦让，自己的玩具也不让别人玩，结果每次都是不欢而散，家长十分着急。

还有一个孩子从小生活在比较封闭的环境里，当家长带他到公园、游乐场等公共场所玩耍时，他总是很胆怯，不知道怎样加入其他小朋友的游戏中，上学以后非常孤僻，没有小朋友和他玩，他也不知如何和别人建立友谊……

怎样帮助孩子培养人际交往能力

现在的很多孩子生活在物质条件丰厚的环境中，但他们的心理世界缺乏丰富的情感刺激，尤其在人际交往方面常常出现这样或那样的问题，比如爱招惹别人、侵犯别人、自私、孤僻、缺乏责任感、不会和小朋友交往等等。造成这种现象的表面原因是很多孩子没有兄弟姐妹，实际上是因为孩子生活在成人世界里，成人的价值观和言行直接影响着孩子的心理发展。如果成人教他们使用暴力，他们就学会用武力攻击别人；成人以孩子为中心，孩子就学会以自我为中心，不会考虑别人的利益；

成人不给孩子与社会接触的机会，孩子与别人交往的能力就得不到培养和发展。所以，家长要让孩子在与别人的交往中学会如何交往，而不是直接干预，甚至包办代替。有的家长做事雷厉风行，他们的孩子却非常胆小，就是因为家长总是做孩子的挡箭牌，孩子就成了母鸡翅膀下的小鸡，经不起生活的考验。如果孩子回家告诉家长别的孩子欺负他，家长不要马上气急败坏地领着孩子找上门去，而是应该耐心了解整个事情的原委，尽量让孩子自己去解决问题，小孩子之间很快就会和好的。如果家长粗暴干涉，孩子有可能会失去一个朋友。

为了给孩子创造交往的环境，家长可以和亲戚、朋友“交换”孩子，比如这个周末让孩子去别人家住，下一个周末让别人家的小朋友来自己家住，使孩子有机会和别的小朋友一起生活，在别人家里又能学到新的规矩，学会约束自己。另外，让孩子多参加夏令营等集体活动对孩子学会交往也大有裨益。

4

不要怕危险和脏，培养孩子的动手能力

我的孩子今年5岁，求知欲非常旺盛，什么都愿意去摸摸，去拆开看看。老人老怕孩子摸脏东西，对孩子的限制比较多，结果孩子比较调皮，不让干什么偏偏就非干什么。我们应该对孩了进行怎样的早期教育和训练，才能促进孩子的大脑发育？

一位家长

现在孩子的生活条件越来越好，但他们的快乐却越来越少，因为他们许多自然的天性被成人限制和剥夺了，因而变得越来越敏感，也越来越不能适应社会环境了。

有的家长在孩子出生后，就带着担心、焦虑的情绪把孩子看得紧紧的，怕脏，不让孩子吃手；怕危险，不让孩子爬行或过早使用学步车，结果造成孩子大脑平衡功能、本体感觉发育

不足，影响了孩子的注意力和身体协调性。

现在很多孩子的生活环境，基本上是无味或仅有单调的气味，孩子很少能接触到来自大自然的丰富多样的气味，以致他们的鼻子变得非常敏感。有的孩子不能忍受简易厕所的臭味而感到头晕，因为家里都用抽水马桶，孩子很少闻到臭味。

有的孩子挑食、偏食很严重，爱吃肉不爱吃菜，不爱吃软皮，因为他们小时候吃人造、加工食品太多，吃自然、原始的食物很少，口味单一，使味觉产生了依赖性。

有的孩子大部分的课余时间是在家看电视、玩游戏机、看书等，在自然环境里运动、游戏的时间和范围大大减少，以致运动协调性很差，造成注意力不集中，动作磨蹭；他们的眼睛视觉振动现象严重，不能注意力集中地听讲、写作业，有不同程度的阅读、书写和学习困难。

许多家长不让孩子做家务，总是盯着孩子学习，孩子的动手能力、生活自理能力很差，缺乏自信心、责任心和意志力，想法过于单纯，对学习厌倦。钢筋水泥的楼房把孩子和其他同学隔绝开来，不少家长不让孩子去同学家玩，也不让孩子带同学到家里来玩。孩子生活在孤独、封闭的世界里，性格变得内向、孤僻、退缩、不会与人交往。

孩子的心理发展有其自然规律，但很多家长总想按照自己的意愿来控制孩子的成长，不自然、不科学的做法会限制孩子的发展，甚至会造成孩子的心理障碍。那么，孩子的心理成长需要什么呢？

运动是大脑重要的营养剂

许多人以为，人类大脑所需的营养剂主要是食物中的各种营养物质，所以，家长很关心孩子的饮食，还给孩子补充这样那样的保健品、营养品等。但是，心理学家研究发现，大脑除了需要营养物质外，更重要的营养剂是运动，尤其是训练手指的活动，这是促进大脑发育的重要营养剂。

人类的手指灵活，使其可以制造和使用各种工具，由此，人类的生活领域才得以扩大、改善，人类的大脑也在这种刺激下，发展了语言能力。但是，随着物质生活水平的提高，生活条件日益改善，人类正变得越来越缺乏运动。尤其是孩子的早期运动机能训练，被一些家长忽略和剥夺了。例如，有的家长爱把孩子放在床上，很少摇抱和逗引孩子；或把孩子限制在小车里，没有让孩子充分地爬行；或把孩子的胳膊和身体捆绑起来，没有及早训练孩子的抓握动作；或居住在楼房，很少让孩子和伙伴一起玩游戏；还有的家长喜欢包办代替，不让孩子自己穿脱衣服、系鞋带、扣纽扣、做家务等，结果，这样的做法在不同程度上影响了孩子大脑功能的发展，造成了学习能力障碍，例如，写作业拖拉、动作慢、写字出格、偏旁部首颠倒、抄错数字等，这些都与手脑不协调有关。那么，家长应该怎样加强孩子手指活动的训练呢？

从孩子 3 个月起就可以逐渐训练他用手扒弄、抓握、够取玩具，撕纸，捏住小物品，敲击方木，摇铃，拆装玩具，握笔画道，盖瓶盖，穿脱衣服，系鞋带，翻书，搭积木，捏橡皮泥，穿珠子，倒水，使用筷子等。孩子 5 岁时，最喜欢帮大人做家务，家长可以教孩子剥水果皮、洗菜、扫地、端盘子、摆东西等，让孩子练习拍球、跳绳、抛接球等大幅度动作，还可以让孩子练习剪纸、穿针、折纸等精细动作。7 岁的孩子除了做家务外，还要多参加户外活动，如游泳、爬山、踢球、打羽毛球、旅游等。要限制孩子看电视、玩电脑的时间，因为这些对孩子的视觉发育不利。

对于严重影响孩子学习效果的行为问题，要找心理医生进行专门的强化训练予以矫正。孩子的大脑要到 25 岁才定型，所以，对孩子的双手和身体运动协调性的训练是长期的。

5

尊重成长规律，把孩子的兴趣引导到学习上来

我的孩子就要上中学了，一点都不喜欢学习，但对所有玩的东西感兴趣，对动画片、电子游戏、足球都很喜欢，一说学习就烦，学习缺乏主动性，我们该怎么教育他？

一位家长

孩子厌学不仅是令家长和老师感到头疼的事情，也是中外心理专家公认的棘手问题。虽然厌学问题常见于大龄孩子，但问题的根源还是形成于孩子成长的早期。我们的教育方式无意间就影响了孩子的学习兴趣。

心理学家研究发现，如果我们给了孩子足够的机会，孩子天生就会对学习感兴趣，但是他们在幼年的学习方式与我们成年人的想法不同。

孩子的兴趣特点

首先，孩子生来就喜欢探索，一两个月大的婴儿就会表现出要出去玩的倾向，在家里烦，出去就兴奋。再大一些就更关不住了，恨不得整天出去玩才好呢！他们在户外感受到了广阔的自然世界，满足了他们的好奇心。在这个基础上，如果家长能给孩子正确引导，允许他们出去玩，并且配合着给他们看一些科普书籍，诸如《十万个为什么》《宇宙的奥秘》《动植物世界》等，孩子会对自然、对知识充满探索的兴趣。

其次，孩子最喜欢玩，玩土、泥巴、水、沙子、木棍，喜欢和小朋友一起玩，喜欢去爬山、远足、旅行，在玩的过程中，他们学习了语言，锻炼了动手能力和身体协调性，而手的操作能力，对孩子写作业、反应速度、逻辑思维能力大有裨益。足够的运动能让孩子的大脑获取充分的氧气，从而促进大脑的发育，特别是能够促进大脑分泌内啡肽和5－羟色胺，这些会让人感到轻松愉悦。如果我们不让孩子玩，孩子整天不高兴，就会对什么都没兴趣，当然也包括学习。

最后，孩子最喜欢自己创造，不管是自己动手吃饭还是拆卸玩具，甚至搞破坏，他们都很愿意把自己的能力表现出来。可是，家长对孩子无微不至的照顾和保护，大大限制了孩子能力的发展，更可怕的是会使孩子从“不让动”发展到“懒得动”，这个惰性当然会影响孩子学习的主动性和积极性。

所以，家长先问自己三个问题：我们让孩子经常出去吗？让孩子玩够了吗？让孩子自己动手体验、创造、解决问题了吗？

玩和学习从来就不是对立的，只要家长引导得好，孩子就可以玩好，也可以学好。例如，有个孩子在两三岁的时候家长经常带他出去玩，动物园、公园、博物馆都去过，后来发现孩子对恐龙特别感兴趣，家长就有意识地带孩子多接触恐龙的知识：玩恐龙积木，看相关的书、杂志、视频，逛主题公园、古生物馆等，带孩子边玩边讲。

半年后，孩子已经对恐龙非常了解了，家长接着启发孩子："后来恐龙为什么消失了呢？"并带孩子到天文馆、自然博物馆去看史前生物的进化和消亡，带孩子开始研究天文和古生物。

又过了半年，家长继续启发孩子："恐龙是在哪些地方生长和消亡的呢？"并引导孩子看地图、查地图，研究地理、地形和生物的关系。

又过了半年，家长又启发孩子："恐龙灭绝后什么生物出现了？"然后给孩子买生物类的书，如《十万个为什么》《生物的奥秘》等，给孩子讲解相关知识。

又过了半年，家长继续启发孩子："之后什么出现了？"并带孩子去古猿人博物馆，研究人类的起源、人类怎么进化的、人体的奥秘等知识。

又一个半年后，孩子 5 岁多了，家长开始引导孩子研究人类文明的起源，带孩子去爬长城，游历古迹。

在孩子 6 岁时，家长引导孩子接触人类历史。之后孩子自已要求认字，记历史编年表，查历史资料，去游览古都、古墓和历史遗迹。因此，孩子对语文特别感兴趣，毕竟不学好语文就没法看历史书啊！

现在这个孩子已经 9 岁了，可以自己阅读世界历史的书了，经常给家长讲得头头是道，还有自己独特的观点，表达能力很强，作文写得很好。

在这个过程中，家长充分启发了孩子的好奇心、求知欲，引导孩子一步步地走进学习，很好地借助书本、故事、影视、博物馆、公园和旅游，让孩子不知不觉地在玩中学习。如果你的孩子喜欢玩小汽车，也是一样的道理，可以尝试把孩子的兴趣引导到学数学、物理上来。

法　则　三

只有擅长学习，孩子才喜欢学习

家长要相信每个孩子都是有天赋的，都是有潜力的，但是需要家长耐心和科学地引导、开发和训练，才能把孩子培养成为有能力的人。如果没有培养出孩子的学习能力，却要求孩子在学习上获得优秀成绩，这个目标是不可能实现的。如果孩子擅长学习，并且家长满足了他在某些方面的兴趣，使之获得成就感，他当然会喜欢学习。

1

通过测试了解孩子的智力水平

我的孩子上一年级，上课经常发呆走神，跟不上老师讲课，对老师的指令经常不理解，反应比较慢，动作拖拉，说过他很多次也不改正，老师怀疑他智力有问题，建议我们做智力检查。这个检查对孩子有影响吗？对孩子的学习有什么帮助？

一位焦急的家长

大家都知道智商的高低可以反映孩子聪明与否，因而许多老师和家长非常关心孩子的智商，但是，有许多人并不太了解智商的含义，以及为什么要测量孩子的智商。通过智商测试，除了能够了解孩子智力是否正常，我们还能了解到什么？

正如你想知道体温就要用体温计去测量一样，如果你想了解孩子的智力发展水平，就需要对孩子进行智商测试，能够表明智力水平的参数就是智商（IQ），表 3-1 所示为智力等级分类。智商等于心理年龄除以生理年龄再乘以 100。

表 3-1　智力等级分类表

智力等级	IQ 的范围	人群中的分布比例（%）
天才	140 以上	2.2
优秀	120 ～ 139	6.7
高于中等	110 ～ 119	16.1
正常中等	90 ～ 109	50.0
低于正常	80 ～ 89	16.1
边缘状态	70 ～ 79	6.7
智力低下	69 以下	2.2

智商的高低受先天因素和后天因素的共同影响，包括父母和家族的智力水平、怀孕时和产后母婴的营养和健康状况、生育时是否顺利、早期的教育和训练等。孩子的智力水平也不是一成不变的，智商低的孩子，如果及时接受科学的训练，其智商也能得到提高。有的孩子小时候智商可能比较高，但由于某种心理发育障碍，例如注意力不集中、协调性差等，不能有效地汲取知识和发展能力，因而智力水平也会下降。还有的孩子智商正常，甚至较高，但学习成绩并不好，或忽高忽低，这说明他的学习能力发展不足，不能使他的潜力充分地发挥出来。因此，通过智商和其他相关的测查，我们可以了解孩子学习成绩下降的原因，进而及时采取措施。

要了解孩子的智力水平需进行智商测试，测试应该由经过专门训练的心理测试员来执行。测验工具通常采用国际通用的韦氏智商量表，它包括 11 个分测验项目，分成言语测试和操作测试两个部分，如表 3-2 所示：

表 3-2 韦氏智商量表

项目＼能力	测验名称	所测验的能力
言语能力	1. 常识	常识性的知识广度
	2. 类同	抽象与概括能力
	3. 算术	心算与推理能力
	4. 词汇	理解词汇意义的能力
	5. 理解	理解能力与实际知识
	6. 数字记忆	记忆广度与机械记忆能力
操作能力	7. 填图	视觉的记忆、判断与理解能力
	8. 图片排列	对社会情境的理解能力
	9. 积木	视觉及结构的分析能力
	10. 拼图	处理部分与整体的能力
	11. 数字符号	学习的灵活性与书写速度

通过韦氏智商测试，我们可以比较全面地了解孩子智力水平的各个方面，根据测试结果与标准分数的差距，我们还可以了解孩子有哪些优势和问题。

除了韦氏智商测试，心理专家还建议对孩子进行高级瑞文推理能力测试，以进一步了解其问题解决、清晰知觉和思维、发现和利用自己所需信息，以及有效适应社会生活的能力。瑞文推理测试得分的高低与数学能力有很大相关性。

但是，一些智商高的孩子学习成绩并不好，说明智力与学习能力并不是等同的，智力水平的发挥还受到非智力因素的影响。心理学家研究发现，儿童的智能表现形式应该包括：

（1）大运动（四肢动作的协调性、躯体平衡能力）。

（2）精细动作（手眼配合、书写等能力）。

（3）环境适应能力。

（4）语言能力。

（5）社交能力。

有些孩子智商正常，但学习成绩有所下降或学习成绩不稳定，这时就要找心理专家进行学习能力测试，诊断孩子的问题所在，并进行及时的训练提高。

智力结构

对于开发孩子的智力，不同的家长会有不同的想法和做法，有的注重计算和认字能力，有的注重记忆力，有的则在音乐能力上下功夫。心理学家研究表明：人的智力是注意力、观察力、记忆力、想象力、思维能力和操作能力的综合。儿童在进行智力活动时，这几种能力都在发挥自己的重要作用。而每种能力的发展水平又会影响到其他能力的发展，甚至影响整个智力的发展。例如，一个孩子的注意力差，不能很好地集中在一件事情上，那么，他就不能认真观察事物，不能很好地记住事物的特征，不能产生完整的想象，更不能进行连续的思维。有些家长觉得自己的孩子看上去很聪明，可就是学习成绩不理想，其实就是孩子的注意力不集中造成的。所以，心理学家在对孩子的学习障碍进行矫正时，要测试孩子的智力发展水平和注意力集中程度，然后进行有针对性的训练矫正，而不是给孩子讲大道理或是反复讲课本中的内容。

有些家长比较注重记忆力的培养，让孩子背古诗、识字、记地图等，但往往忽略了对孩子其他能力的培养，所以，有些孩子背课文很快，但不解其意、不动脑筋、不善思考。有些家长重视孩子的读、写、算的学习能力培养，却不注意对孩子操作能力的训练，因而影响了孩子抽象思维能力的发展和自信心的培养，还会影响孩子适应社会的能力。

创造力是智力的最佳表现，也是衡量智力水平和发展潜力的重要标志，所以，家长在关注孩子六种能力均衡发展的基础上，还应注重孩子想象力和思维能力的发展，这样有利于使六种能力更好地融合为具有创造性的能力。但是，有些家长的错误教育抑制了孩子想象力和思维能力的发展，例如，有些孩子喜欢夸张地描述事情，甚至编造一些不存在的事情，家长就会认为孩子在说谎，却不知这是孩子想象力丰富的表现。有些孩子喜欢刨根问底，遇事爱问为什么，家长却表现得不耐烦，或者总是给孩子现成的答案，而不去启发孩子自己独立思考。

家长只有了解了孩子的智力结构和存在哪些发展不足，才能有的放矢地培养和训练孩子。

2

怎样训练孩子的注意力

我当小学教师十几年了，以前的孩子还好一些，现在班上总有一些孩子上课注意力不能集中，有10%～30%吧。他们爱低头做小动作，眼睛不能专注地看着我，对周围的事情很敏感，爱管闲事，爱说话，多动，坐不住，而且还不长记性，很多错误这次说了下次还犯。耐心说服和惩罚教育都不管用，这是怎么回事？

一位小学老师

孩子并不是生来就会集中注意力，这是一种大脑功能，需要一个发展的过程。有的孩子早期心理发育好，而有的孩子就存在问题，以致上学后影响学习效果。

影响孩子注意力的因素

1. 大脑平衡功能发展不足。

母亲怀孕时保胎，不敢活动，孩子出生时早产、难产、剖宫产，出生后爬行训练不足等原因，会影响孩子大脑前庭平衡功能的发展，孩子会表现得好动不安，跑步容易摔跟头，不会走平衡木，不能盯住目标看。有的孩子做旋转运动时从来不觉得晕，这也是前庭平衡功能对外界信息不敏感的表现。此外，他们对老师说的话经常记不住，对生字学得快忘得也快，注意力不能集中。也有的孩子特别怕晕，这是前庭平衡功能过分敏感的表现，外界的信息特别容易进入大脑，所以孩子特别容易受到无关信息的干扰，上课、写作业时总是能看到、听到别人在做什么，注意力不能集中。这些孩子要多进行大脑平衡功能的训练，例如，走平衡木、荡秋千、蹦床、跳绳、做旋转游戏等。

2. 情绪不稳定。

有些孩子爱发脾气，情绪容易激动，高兴起来会大喊大叫，遇到挫折又非常敏感，爱哭，爱招惹别人，喜欢吃手、咬笔头等。剖宫产的孩子容易出现情绪不稳定而致使注意力不集中。这样的孩子可以进行触觉训练来提高注意力，例如，游泳、玩水、玩沙子、骑羊角球、钻阳光隧道、用粗糙的毛巾擦身体、用毛刷子刷身体、赤脚走路等。

3. 运动协调性差。

有些孩子体育成绩不好，不善于跳绳、拍球，手脚笨拙，手眼协调性差，动手能力差，大脑对身体各部位指挥不力，手脚不听脑子使唤，自制力、自觉性很差，注意力不集中。提升运动协调性的训练有跳绳、拍球、踢毽子、爬行、翻跟头等。

4. 视觉有振动、跳动现象。

这会造成看书串行、多字少字，计算粗心，写字偏旁部首颠倒等问题。长时间看电视、玩游戏机、玩电脑的孩子，容易加重视觉振动问题。这样的孩子需要加强手眼协调性的训练，例如，打羽毛球、抛接球、搭积木、捏橡皮泥、串珠子、绣花等。

我们了解了孩子是由于什么原因造成的注意力不集中，就可以有的放矢地解决问题了，还可以找心理医生做专门的检查和强化训练，而不要去惩罚孩子。

3

怎样训练孩子写作业又快又好

我儿子上三年级，他很喜欢数学，特别不喜欢写作文，在文字表达方面很有困难，一篇很容易的作文要写半天，不知道要写什么。要不就是流水账，干巴巴的。当然，我们的态度可能也有些急躁，总是逼着他写日记、写游记，效果也不好，他很反感，有时候把作文本藏起来说没有作业，或者不给我们看成绩。他脑子也不笨，很机灵，为什么那么怕写作文？我们该怎么办？

一位家长

做作业不仅能帮助孩子巩固学过的知识，还能培养他们独立完成任务、计划安排时间、约束自己和承担责任的能力。但是，有些孩子不能做到在学校完成作业，回家以后先想着玩，把作业拖到很晚才完成；还有的孩子喜欢边写边玩，极易受外界的干扰，非得在家长的不断督促下才去做；有的孩子作业写得倒是快，但是匆匆忙忙，字迹潦草，粗心大意，错误百出；有的孩子数学作业写得快，对语文作业就特别发怵，磨磨蹭蹭地不爱写，这在男孩子中比较多见；有的孩子则相反，语文作业写得还可以，做数学作业却特别粗心，不爱动脑筋；更严重的是有些孩子经常把老师布置的作业忘到脑后，根本不写作业。这些问题让家长十分头疼，只好采取打骂的方式，有时还真见效，但时间长了，孩子都被打疲了，问题还是没有得到根本解决，有些孩子还出现了撒谎、厌学等更严重的问题。

孩子写作业困难的类型和原因

1. 有的孩子从上一年级开始在写作业时就感到吃力，对老师所讲的内容理解不够，跟不上老师的讲课进度。这一般是智力问题，可以通过智商检查来了解孩子的问题。

2. 有些孩子智力正常，甚至优秀，但注意力不集中，大脑总是处于兴奋状态，所以，上课时不好好听讲，写作业时坐不下来，很难坚持独立做完一件事。这就需要找心理医生进行注意力集中的训练，来帮助孩子改善大脑中枢神经的调节功能。

3. 有的孩子脑－手的协调性差，脑子想的是一回事，手上动作是另外一回事，所以，就会出现动作磨蹭拖拉、写字颠倒、计算粗心、写字出格等问题，久而久之，有这种问题的孩子越来越不爱写字。同时，你会发现，他们在动作协调性方面也发展不足，例如，系鞋带、扣扣子动作特别慢，体育也不好，对这些孩子可以进行协调性的训练。

4. 视觉发育不良的孩子，不爱看书上的字，经常眼酸、头疼、看书串行、写字多一笔或少一笔等，当然也不爱写作业。

5. 听觉发育不良的孩子会对老师的话充耳不闻，忘记老师所布置的作业，家长以为孩子撒谎，其实是信息没有储存到孩子大脑里去。

6. 逆反情绪问题，家长越盯着他，他越不爱写作业，甚至把不写作业当作对付家长的武器。

7. 写作业习惯有问题，有的孩子喜欢边写边听音乐、吃东西，使大脑的其他中枢处于兴奋状态，造成注意力不集中，而且当上课和考试时没有音乐，大脑就处于紧张状态，什么也想不起来。

针对上述问题，家长要分析孩子写作业的困难在何处，分清哪些是孩子本身的问题，哪些是家长的教育方法问题，不要一味地对孩子又打又骂，这样并不能从根本上解决问题。

如何训练孩子按时完成作业的能力

1. 对于理解能力相对差一些的孩子，可以在课外多辅导孩子，多讲几遍，用更形象、简便易懂的方式来给孩子讲解。另外，越是理解力差的孩子，越是要多训练他们的动手能力、解决问题的能力、生活自理能力。

2. 通过训练平衡能力来训练孩子的注意力，例如，走平衡木、荡秋千、做旋转游戏等。

3. 通过训练孩子的四肢协调性来训练孩子的行动反应速度，尤其是手的协调性训练特别重要，例如，打球、拍球、跳绳、游泳、做家务劳动等，手对脑的指挥反应快了，相应地，写作业的动作也快了。

4. 不要让孩子长时间地看电视、玩电脑，这样容易加剧孩子眼睛的视觉振动现象，要多加强户外运动，尤其像放风筝、打球等，训练孩子的眼睛能盯住目标，视线平滑地移动，使孩子能够在写作业时不容易看错或写错。

5. 训练平衡能力可以训练孩子的听觉能力，音乐训练尤其是打击乐的训练，可以训练孩子的听觉记忆能力。

6. 要求孩子写作业时不要听音乐、吃东西，写作业时要模拟考试状态，要按时间完成，养成了这个习惯，孩子就能既在平时迅速完成作业，又在考试时不容易紧张。

7. 孩子在写作业时，要注意劳逸结合，每写 45 分钟左右休息 10 分钟，因为大脑只有在劳动或运动时才能得到真正的休息。不要一写就是好几个小时，这容易造成孩子疲倦，对写作业感到痛苦。

4

怎样训练孩子认真，不粗心大意

> 我的孩子今年8岁，要说他脑子可不笨，可就是粗心大意的毛病特别严重，明明是加号愣给看成减号，在草稿纸上演算对了，抄答案却抄错了。阅读时多字少字还串行，写字时常常写错，所以他总得不了满分，都是错在不该错的地方。你说他这个毛病该怎么治？
>
> 一位家长

面对孩子这样的问题，许多家长会埋怨、责怪孩子，其实孩子不是故意的，我们要先了解孩子是什么方面出了问题。

“粗心大意”的原因

1. 手眼不协调的孩子容易粗心大意。正常的行为是眼睛看到的和手上做的应该是一致的，但是这个能力不是与生俱来的，而是要经过后天的训练才能形成。孩子出生后，会用自己的感官和四肢去探索周围的世界，如果我们没有给他们足够的探索机会，他们的能力就会停滞不前、发育不足。例如，没有经过足够爬行练习的孩子，手眼协调性就非常差。四五岁的孩子应该多进行拍球、跳绳、打球、滑梯、蹦床等许多户外活动，但家长往往让孩子过早、过多地坐在那里学习，这对孩子手眼协调性的发展极为不利。上学后，很多家长片面地关注学习成绩，总是盯着孩子写作业，很少让孩子自己动手做家务、做游戏、解决问题，以致孩子的动手能力差，直接影响到学习能力。

2. 看电视、玩游戏机加剧了视觉振动现象，造成粗心大意。孩子刚出生时，眼球会有振动现象，看东西是不稳定的，不能平滑地转动眼球，也不能很好地盯住一个目标。为了消除视觉的振动现象，家长应让孩子进行一些有益的运动。例如扔球接球时，孩子必须眼睛盯住球，他的视觉振动现象就会逐渐地消失。但是，如果孩子很少运动，而是经常坐在家里看电视，电视的画面是抖动的，这样孩子的视觉振动现象不仅不会消失，反而会更加严重。所以，孩子每天看电视的时间应该予以限制，例如每次 20 分钟，不要一看就是好几个小时。

3. 家长的包办代替，让孩子形成依赖感，什么事情都希望家长给想着，自己稀里糊涂，到学校丢三落四、粗心大意。

这些问题都需要我们有针对性地对孩子进行强化训练和调整。

5

怎样训练孩子的计算能力

> 我的孩子今年8岁，学习语文没有问题，就是做数学题老爱出错，他并不是不会，而是粗心大意，经常抄错数字和符号，不是把加法当作减法，就是把82抄成32，等等。他犯的错误都让人哭笑不得，上午提醒了他，下午还接着错，也不知是故意的还是大脑有问题，我们该怎么帮助他呢？
>
> 一位家长

上述问题在我们心理咨询门诊很常见，属于学习能力障碍中的数学学习能力障碍。有数学学习能力障碍的孩子一般智力都正常，大脑也都没有问题，就是在做数学题时常出现家长和老师认为不应该犯的错误。例如，考试时难题都做对了，而简单的计算题却错了不少，影响了成绩；把加号看成减号，把乘号看成除号；竖式上写的是83，横式上却写的是38；在做加法或乘法时忘记进位；在抄写数字时，常常丢掉一个数字；对形象具体的计算能理解，而对抽象的计算却反应不过来；心算有障碍，非得列出竖式才能算出来，等等，这些都是孩子数学学习能力障碍的表现。

造成数学学习能力障碍的原因

心理学家研究发现，孩子的知觉－动作统合能力（也称感觉统合能力）失调是造成数学学习能力障碍的重要因素。这个能力是大脑将感觉器官传入大脑的信息进行正确处理，再指挥行动，如果这个信息处理过程出现问题，那么行动一定会出差错，看到的、听到的与做到的就是两码事。例如，孩子在做运算时，时常忘记进位和错位，就是因为视觉记忆受到下一步计算的干扰；孩子将数字抄错、遗漏或左右颠倒，是视觉记忆、视觉分辨能力与视觉次序性记忆能力发展不足造成的；在竖式计算中，将个位、十位、百位数排列不正，是因为视动协调性出现了障碍，大脑对方向、位置和距离信息的处理出现了问题。对于这些问题，就需要进行知觉－动作统合能力（感觉统合能力）训练来解决。例如，可以进行滚翻运动、拍球、跳绳、抛接球、滑梯等活动来训练孩子的感觉动作协调能力，可以让孩子照图形描绘，来训练孩子的空间知觉能力。

当发现孩子有数学学习能力障碍时，不要简单粗暴地训斥孩子“不认真”，而要耐心分析孩子的错误，请心理医生检查孩子的障碍原因和程度，对孩子及早进行有针对性的训练矫治。

6

怎样训练孩子的思维能力

我的孩子上三年级，语文和记忆力都很好，但是对于数学的理解力好像迟钝一些，对应用题很发怵，很容易的题目要讲半天，好像不开窍似的。平时做事情反应也很快，但是明显感觉不走脑子，不想后果，不考虑其他因素，显得很幼稚。我们不明白他是聪明还是愚笨，该怎么帮助他提高数学成绩？

一位家长

有些孩子会做计算题，但一遇应用题就发怵，他们大多不会举一反三，无法灵活运用所学的概念和法则。细观这些孩子，他们或多或少都存在语言概括能力差、叙述事情像流水账、归纳段落大意和中心思想有困难等通病；还有的孩子会具体形象的运算，但不理解抽象的运算……这些问题都与孩子的思维能力有关。孩子的思维能力需要后天的培养才能逐渐发展起来。

儿童思维的发展分为三个阶段：动作思维阶段、具体形象思维阶段和抽象逻辑思维阶段。

动作思维阶段

不到 3 岁的孩子以动作思维为主，思维在动作中进行。孩子最初的动作往往是杂乱无章、漫无目的的，之后在不断地操作过程中孩子会了解动作与结果之间的关系。例如，1 岁的孩子看到桌子上的娃娃，想拿却够不着，他就会一边叫一边无意识地抓桌布，结果娃娃随着桌布被拉过来了，孩子以后就学会了借助别的东西来达到自己的目的。3 岁的孩子拍球时，开始是乱拍，不了解自己的动作与球弹跳的关系，经过学习和训练，他逐渐理解了其中的关系，学会了正确的拍球动作。在这一时期，孩子的动作、运动训练很重要，因此，训练孩子的爬行、滚翻、蹦跳等平衡、协调能力以及捏橡皮泥、摆积木等活动是必不可少的，这些活动有助于孩子的思维发展。相反，限制孩子的活动，只让孩子看电视、玩玩具、玩游戏机则会影响孩子的思维发展。

具体形象思维阶段

3 ～ 6 岁的孩子具体形象思维占优势，但他们缺少立体感和空间感。不信的话，你可以拿两个同等体积但形状不一的杯子，让他们分辨出谁大谁小，他们肯定答不出来。又如，在做计算时，用苹果来举例子，他们就容易理解，一旦改用数字加减，他们就反应不过来了。在这个阶段，家长要注意增加孩子的经验，丰富孩子的词汇，多给孩子动手的机会。在孩子拆装玩具或摆积木时，帮助他们理解平面与立体的关系；可以和孩子玩图片分类和比较游戏，让孩子从中学会归纳和抽象；还可以借助孩子的好奇心，经常向他们提出各种问题，引导他们去观察事物和现象等。有些家长和老师片面而刻板地教孩子多识字、写字、计算等，对孩子的思维发展并没有好处。

抽象逻辑思维阶段

6 ~ 11 岁是培养孩子抽象逻辑思维能力的关键时期，在这一时期要培养孩子正确的思维程序和科学的思维方法。家长可以问孩子："有一个大盒子，内有三个小盒子，每个小盒子里又有四个小盒子，那么，连大带小一共有几个盒子？"有些孩子就不能计算出来，因为他们顾此失彼，不能一步步考虑题目的结构，做出正确的计算。另外，家长还要培养孩子良好的思维习惯，要让孩子学会独立思考，不要给孩子现成的答案。

孩子的思维能力是逐步发展起来的，抽象逻辑思维能力是在动作思维和具体形象思维的基础上发展起来的，因此，孩子早期思维能力的培养训练非常重要。如果早期训练不足，后期还需要科学地强化弥补，所以，心理学家认为对那些早期运动不足的孩子要进行知觉－动作综合能力训练，以促进其心理发展。

❖ 法　则　四 ❖

情商保证智商有更大的发挥空间

坚持、毅力和耐力是取得成功的关键因素。心理学家曾经进行过一项实验。参与实验的有 600 名四至六岁儿童。工作人员在每个孩子的面前都放了一颗糖，并告诉他们，如果能在 15 分钟内忍住不吃这颗糖，就可以再得到一颗糖，否则就只有一块。跟踪调查发现，那些能坚持到最后的孩子通常比那些很快就把糖吃掉的孩子在十几年后学业成绩更加优秀，在未来的事业、生活上也有更加良好的表现。

1

怎样训练孩子的自觉性和自控能力

我的孩子今年五年级，学习主动性特别差，放学一回家就看电视，不催他写作业他就不写，写起来也特别拖拉，每天都拖到很晚，不盯着的话就不能完成，甚至有的时候因为贪玩直接说没留作业，怎么说他都没用，我们该怎么办呀？

一位家长

孩子的自觉性表现在生活和学习的各个方面：按时完成作业、自觉复习功课、自己准备学习用具、主动收拾屋子、自己洗衣服，甚至做饭，等等。但是，许多孩子都不能做到这些，他们似乎总也玩不够，既不喜欢学习，也不喜欢做家务，让家长感到非常头疼。

首先，孩子的主动性是一种主观动作能力，与早期训练有很大关系。从肌肉和骨骼的关系来说，肌肉无力的话，人是无法做出动作的，但是，有些家长没有注意孩子早期的大肌肉、小肌肉的训练，例如抬头、翻身、坐、爬行、四肢运动都训练不足，对孩子活动范围限制太多，保护太多，孩子没有机会训练他们的肌肉和动作的灵活性，等到上学后需要尽快完成作业、上课集中注意力、管住自己的行动时，孩子就会出现散漫和拖沓的毛病。

其次，从大脑和动作的关系来说，大脑负责接收外界信息，然后予以整合加工，再传递到各“部门”，指挥四肢行动，这个过程需要早期反复训练才能形成灵活迅速的反应链。而看电视、看书、听音乐、玩电脑、绘画、弹琴等室内活动都不是手－脑协调活动，有的缺乏逻辑思维运动，有的缺乏大肌肉的协调活动，所以，尽管有些孩子其他能力都很好，写作业却特别费劲。有的孩子阅读没有问题，就是怕写，也是这个原因。诸如打羽毛球、游泳、登山等活动都需要全身肌肉和大脑思维中枢、感觉器官的协调工作，和上课听讲、写作业所需要的能力是一样的，家长可以多带领孩子进行此类运动。

再次，习惯是一种条件反射，条件反射遵循快乐原则，如果孩子很早就体会了看电视、玩电脑比爬山、打球还要轻松的话，他们会习惯于选择在家看电视而不是出去玩，所以，家长要在早期多带孩子参加户外运动，让孩子喜欢这样的健康运动，这对孩子的学习和身体都有好处。

最后，有些活动既有益又不会造成依赖，例如从小让孩子干家务、自己打理生活、游泳、打球、爬山等，这些活动做多了就很累，他们不会做了一天还想继续，而且在运动和劳动时大脑处于休息状态，运动累了以后会很喜欢动脑，精力也更容易集中。所以从小做体力劳动更多的孩子更易养成自觉学习的习惯。

另一个方面，从家长的角度来说，孩子的自觉性也和家长的教育态度有很大关系。过分的严厉、焦虑和限制反而容易造成孩子的叛逆。

如何培养孩子的自觉性

孩子的自觉性并不是与生俱来的，而是需要后天逐步培养的，首先要有兴趣和动机。有些家长过早地让孩子认字、计算、背诗、阅读，过分地强迫孩子学习，占用了孩子的娱乐时间，使得孩子对学习产生厌烦情绪，一心只想去玩。有些家长让孩子除了学习就是练琴，没有其他娱乐活动，使孩子生活在枯燥乏味之中，对一切都不感兴趣，不知道学习是为了什么。还有些家长只要求孩子学习，其他一切都不让孩子去做，在物质上给孩子创造了特别优裕的环境，尽量满足孩子所有的物质需求，结果孩子生活在富裕满足之中，缺乏韧性和毅力，对学习目标没有什么追求的动力。这些问题都造成孩子没有学习的兴趣和动机。

除了兴趣之外，还要培养孩子的学习能力。但是在当代的家庭中，有些家长对孩子的关注、照顾、保护过多，孩子没有机会自己处理自己的事情，有的十几岁的孩子从来没有洗过衣服，更没有做过饭，对学习以外的事情都一窍不通，殊不知儿童的运动能力、动手能力、协调性都与学习能力有很大关系。如果孩子在这些方面懒惰、无知，那么在学习上也会遇到很多挫折，导致他们对学习失去兴趣，当然也就不可能自觉地去学习了。

有的孩子也明白学习的重要性，也有学习能力，但就是自制力差，不能约束自己。造成此问题的原因有很多，一是感觉统合失调，使得身体各部位不能听从大脑的指挥协调，这就需要进行专门的训练。二是家长对孩子管得太多，孩子生活在“他制”的环境中，当然无法形成自觉能力，所以，家长要给孩子自我管理的机会，让孩子自己的事情自己做，写作业用闹钟自我监督，家长要多鼓励，少批评。三是对孩子的管理过分绝对化，例如，一开始家长鼓励孩子学电脑，但当孩子喜欢上了玩电脑，家长突然意识到会影响学习，就严禁孩子上机，孩子当然会想方设法地偷偷玩了。所以，家长还不如要求孩子自己合理安排好学习和玩的时间，引导孩子逐渐形成自觉性。

2

怎样培养孩子良好的学习情绪

我的孩子别看平时话不多，闹起脾气可真让人头疼。他特别没有耐心，作业才写了没几分钟就坐不住了，遇事很急躁，动不动就撂挑子不干了，谁说也不听，我们该怎么帮助他呀?

一位家长

孩子的情绪就是他们对一个事物的态度。遗传和后天的教育环境和方法决定了孩子的情绪方式，有的孩子表现得急躁，有的孩子胆小，还有的孩子爱哭、紧张。这些情绪问题会影响他们的学习和生活。

孩子常见的情绪问题

1. 胆小、紧张、孤僻、爱哭、黏人、吃手等。剖宫产的孩子，因为缺乏产道挤压而触觉敏感，容易过分敏感、不合群、害怕陌生环境。

2. 急躁、爱发脾气、爱打人和招惹他人、没有耐心和毅力、挑剔等。

3. 不听话、破坏东西、摔东西、无理取闹、经常不高兴等。

情绪控制是一项人人都必须掌握的重要能力，孩子随着年龄的增长，应该对自己的情绪学会收放自如，情绪控制得不好会影响孩子的注意力、人际交往、适应能力和性格，最终影响孩子的生活质量。

孩子最早期的任性出现在 3 ~ 5 岁。这个时期的孩子也许会提出一些不合理的要求，常常无理取闹，大发脾气。如果家长每次都满足他们的要求，他们长大以后会变得更加任性、为所欲为；但是，如果家长简单粗暴地打击孩子，孩子也会模仿家长的暴躁行为。对于孩子的无理取闹，家长应该采取“置之不理”的冷漠疗法，不要与其讲道理，也不要打骂或吓唬孩子，更不要在最后满足孩子的需要，而是随他去哭，等孩子发现哭闹是没有用的，就逐渐不闹了。这一般需要半年的时间。破坏、摔东西、骂人都是孩子发泄愤怒的方式，如果家长实行民主宽容的教育方式，孩子就能学习到这样的处事方式。孩子的行为是家长教育的结果，家长首先要注意自己的行为和情绪表达方式，不要简单专制，而要灵活和通情达理。

孩子最早的逆反出现在 1 岁左右，然后是 9 岁、13 岁左右，这些时期他们会要求独立，看待事物会有自己的见解。家长首先要接纳孩子的情绪，允许孩子自己动手、自己做该做的事情，表达自己的看法，给孩子一些选择，而不是压制他。例如放学回家后，问他是先写作业还是先拖地板，先练钢琴还是先帮忙做饭，孩子选择哪个都是有益的。以后孩子会有自己正确的主见，给孩子现成答案或强制命令都是不对的。

孩子的敏感、胆小和家长尤其是老年人过分的呵护有关。家长要多带孩子出去见识更大的世界、经历风雨，锻炼孩子的适应能力。家长过度的洁癖、担心安全问题都容易造成孩子神经质。

在心理上，感觉统合训练中的触觉训练可以非常有效地解决孩子的情绪问题，挤压式的触觉训练可以矫正孩子爱打人、招惹他人、发脾气的毛病，弹跳式的触觉训练可以消除孩子胆小、紧张、爱哭的毛病。触觉训练还可以解决孩子吃手、偏食、玩生殖器、怕黑、黏人、不安好动等问题。尤其是剖宫产、难产的孩子，在早期家长要多对其进行抚触训练，比如用粗糙的旧毛巾为之擦身体，用电吹风的微风吹其关节敏感处，用毛巾把孩子卷起来压。总之，要多对孩子进行挤压式的触觉训练，而且越早训练越好。

3

怎样培养孩子的情商

> 我的孩子已经上六年级了，马上要上初中了，可是他一点学习自觉性都没有，遇到困难就放弃，怕吃苦，怕累，简单的题不屑去做，难题不愿意去做。在家里什么活都不干，一说他他就发脾气，还顶嘴，特别贪玩。小时候测过智商还超常呢！但是，现在我们担心他这个样子上中学了可怎么办。我们应该怎么使他振作起来？
>
> 一位家长

现在的家长都比较注重孩子智商的开发，而心理学家研究发现，情商的培养更加重要。情商是一种非智力因素，就是我们常说的心理素质，它是一个人获得成功的关键。如果一个人性格孤僻、悭吝，不易合作，自卑、脆弱，不能面对挫折，急躁、固执、自负，情绪不稳定，那么他智商再高也很难取得成就。而情商的培养应该从小做起。

培养孩子情商的六个要点

第一，要培养孩子的忍耐力。

现在的孩子普遍缺乏毅力和吃苦耐劳的精神，因为生活环境过于优越，孩子根本没有机会体会到艰难的环境，在生活中一遇到挫折就抱怨、退缩、放弃。许多中学生从不做家务，家长不让，他们自己也不会做、不愿做，导致缺乏独立生活的能力。有些孩子学习成绩很好，从小一帆风顺，但在学习上、生活中稍有不顺利，就萎靡不振、自暴自弃。有的孩子不能忍受求而不得的痛苦，凡是自己想要的，一定想方设法要搞到手，拿家长的钱、向同学借钱的情况屡见不鲜。

那么，对于小孩子，怎样培养他的忍耐力呢？在他急于喝奶时，不要马上满足他，可以让他哭一会儿，一边慢慢和他说话，一边拍他的后背，再给他吃，并且将这种忍耐时间逐渐加长，从几秒钟延至几分钟。有的孩子每次都把家长给他的零花钱很快花光，没有计划。那么，家长可以对孩子说："如果你能忍住一星期不花零花钱，我下周可以加倍给你，这样你可以攒起来买你需要的大物件了。"孩子遇到了困难，家长不要马上给他帮助，而是鼓励他坚持一下，忍受挫折带来的不愉快，成功就会到来的。

第二，培养孩子的适应能力。

现在的孩子大多生活在非常单纯的环境中，接触的人少、经历的磨难少、自己解决问题的机会也少，有不少孩子性格胆小、内向、心理年龄过小、自卑。有的家长把小孩子限制在家中，很少出门，担心这担心那，结果孩子一看到生人就哭，长大后遇事容易敏感、退缩。有的家长为孩子包办代替，不让孩子接触社会、了解社会。还有许多家长只关心孩子的学习成绩，不关心孩子的生存能力，这都是不可取的。正如前面曾提到的，有位某省的高考状元在某高校学习，成绩优异，但除了去图书馆，对其他什么都不感兴趣，毕业后在某公司总部工作，因解决实际问题的能力差，分配的项目不能按时完成，又被调到分公司，却因无法协调好人际关系，又被分到了基层单位，而好高骛远的他又不甘心做基层单位的具体工作，最后情绪异常，进而精神失常，住进了精神病院。孩子离开母体后需要适应许多新环境，包括自然环境、人际环境、学习环境、工作环境以及社会环境，但是，如果家长不给孩子机会去适应环境，孩子的适应能力是不会自然萌发的。

第三，培养孩子的好奇心和探索精神。

开始时孩子对外界刺激是被动地接受，逐渐地，孩子对周围的一切都感到好奇，都想去摸摸、看个究竟。如果家长这也不让孩子动，那也不让孩子摸，将来就算希望他能有兴趣干点什么事，他也懒得去行动了。

第四，自信心是靠自己的行动获得的。

家长不能经常替孩子做事，什么都给孩子准备得很现成，总是被喂饭的孩子自己连东西都不会吃，还能指望他做好什么事呢？所以，孩子想自己拿勺子、玩一下遥控器、拉开关、打开抽屉时，家长不要因为害怕孩子捣乱而制止他，反而应该引导他："你看，这是什么呀？妈妈怎么开电视呢？"如果真是不适合孩子玩的东西，应该用转移注意力的方式，而不要数落孩子："你怎么这样不听话！别这样！这个不能动！"这样会伤害孩子的自信心和自尊心。

第五，教会孩子合理地宣泄心理压力。

当孩子触觉敏感时，就非常渴望用手触摸小动物，但是，有些孩子喜欢折磨小动物，把海参捞出来扭断它的身体、把蚂蚁放到水里、卡小白兔的脖子、揪猫咪的胡子等，这些就不一定是触觉问题了。当人有心理压力时，就会想方设法地发泄出来，孩子也是一样，发脾气、摔东西、毁坏用具、折磨小动物等，都是他们发泄不满情绪的方式。

孩子为什么会情绪压抑呢？首先，要从家长的情绪上找原因。有的家长对孩子过分关注，总是盯着孩子的一举一动，稍有差错，就要数落孩子。如果你问家长：一个月里能有一天不批评孩子吗？答案会是：几乎没有！有的家长说："我一回家看到孩子就头疼！""我一看他写作业的样子就起急！""老师一告状，我的血就往头上冲！"家长对孩子总是不满，造成孩子对周围的一切也容易产生不满；家长对孩子动辄打骂，孩子也容易用简单粗暴的方式对付比他弱小的动物。还有的家长不懂如何疏导孩子的情绪，孩子摔玩具、破坏东西时，家长就对孩子大喊大叫，大发脾气；孩子无理哭闹时，家长往往先急于制止孩子的哭；孩子在学校爱招惹他人时，老师就让同学都远离他，把他的座位安排在一个“孤岛”上。这些做法不仅不能遏止孩子的不良行为，反而会恶化他们的情绪。有的家长对孩子要求很苛刻，希望孩子学习学习再学习，而不愿意他们把时间花在玩耍上。有个家长给孩子报了钢琴、小提琴、绘画、围棋、英语、作文等多个学习班，结果孩子累出了心理障碍。还有个小学生从小到大除了拉琴就是写作业，没有任何娱乐活动，最后得了精神分裂症。

很多家长意识到将来社会压力大，自己也有急迫感，于是把压力都转嫁到了孩子身上，然而这些压力并没有变成孩子学习的动力，却成了孩子心理上的巨大压力，造成孩子行为上出现扭曲。怎样使孩子压抑的情绪得到合理宣泄呢？首先，家长要控制好自己的情绪，不要让孩子受到不好的影响。当孩子摔玩具、发脾气、哭闹时，让他哭，不要理睬他，也不要刺激他，等他情绪过去了，再给他讲道理。孩子爱招惹他人，可以让他每天回家打棉被 300 下或经常去游泳，以动治动。户外的体育活动和体力劳动是让孩子发泄情绪和多余精力的最好方式。

第六，通过前庭平衡能力训练来提高注意力。**（具体方法见本书第 5 页）**

孩子并不是一生下来就样样都是发展良好的，需要家长逐步地、耐心地培养。有些家长对待孩子的缺点采取简单粗暴的解决方式，如不奏效就觉得孩子无可救药，甚至破罐子破摔听任其发展，这是对孩子极不负责的做法。其实，并不是孩子的问题顽固，而是家长的努力还不够。例如孩子任性，就是因为不同家长的教育方法不一致，父亲是一种原则，母亲是一种原则，爷爷奶奶又有一套原则，孩子就有机可乘。有的孩子社会适应能力差，就是因为家长没有给孩子独立面对社会的机会，这样怎么能发展出相应的能力呢？这些道理家长都明白，但就是做不到，那么孩子当然也做不到了。

教育学家、心理学家建议家长不要越俎代庖，要让孩子自己在生活实践中探索和磨炼。许多家长不能放手让孩子自己去处理生活学习中的种种困难，总是把孩子放在自己的保护伞下，娇生惯养，造成很多恶果。例如，家长不让孩子做家务，孩子就很难形成家庭责任感以及对家长的辛苦表示理解；家长为孩子考虑、保护过多，孩子就容易缺乏自信，对未来忧心忡忡、神经质；家长不让孩子经受挫折，孩子的心理会变得非常脆弱，经不起困难的考验……相反，家长在孩子幼年让孩子经受的磨炼越多，能力和经验积累得越多，未来的生活道路就会越顺畅。

4

怎样帮助孩子克服考试紧张

每到比较大的考试来临时，我的孩子就特别紧张，平时做作业都挺好，一到考场就出现这样那样的失误，不该错的地方总错，原本会做的题也不会做了，紧张得大脑一片空白。有时还会出现生理症状：失眠、肚子疼、呕吐、腹泻、手脚发麻等。有什么方法能帮助孩子克服考试紧张呢？

一位家长

首先，家长对孩子的期望值不要过高，比如不要给孩子设定一个具体目标，一定要考多少分、多少名，家长以为给孩子的这种压力会变成动力，但是对于某些心理脆弱的孩子来说，压力只会变成阻力。目标可以定得低一些，但在行动上要鼓励孩子发挥自己最大的潜力。

第二，如果孩子做题的量不够多，考试的时候一些题没见过，当然会紧张，所以，平时要多练，尤其基本的知识要记牢固，这样就会熟能生巧。

第三，孩子平时在做题时不要太放松，有的孩子喜欢边做作业边听音乐、吃东西、看一眼电视、玩点什么东西，但是在上课、考试的时候没有音乐等其他因素，那些习惯于被音乐唤醒的脑细胞就兴奋不起来了，就会和平时做题的感觉不一样。所以，平时做题时一定要模拟考试状态，按时间完成。还要训练孩子尽量做到两个小时的题用一小时完成，这样平时紧张惯了，考试时反而不紧张了。要让孩子做到思想上不紧张，而行动上紧张起来。平时在写作业的时候，一定要劳逸结合，写 45 ~ 50 分钟，锻炼 10 ~ 15 分钟。因为一个成年人一次注意力只能集中 50 分钟，如果强迫孩子连续学习几个小时，最后就没有效率了，而且时间长了大脑会出现神经衰弱现象，比如头疼、注意力不集中、记忆力减退、没有精神。大脑休息的最好方式除了睡眠以外就是体力劳动和锻炼，全身协调性的体育锻炼可以给大脑充氧、恢复精神、提高反应速度、产生快乐元素。

第四，考试时出现紧张情绪和症状是正常的，千万不要克制紧张，因为紧张情绪是越压制就会越严重，反复克服会反复出现。正确的做法是让孩子对自己说:“紧张去吧，豁出去了！”同时拿起笔开始写字，然后会发现紧张情绪在五分钟之内就消失了。

如果孩子有比较严重的考试紧张问题，也可以找心理专家协助解决。

家长应该做哪些心理准备

考试不仅是对学生所学知识的检验，也是对学生乃至家长心理的考验。家长往往关心孩子的应考心理，殊不知家长的心理状态会直接影响孩子的情绪。很多家长以为，生活中无微不至地照顾和包办，心理上不给孩子压力，哄着劝着，什么都依着孩子就行了，可这样效果并不好，孩子还是会出现很多问题。家有考生，家长真是如履薄冰！家长应该了解，面对日益激烈的竞争，更重要的是培养孩子的心理素质，以应付未来的困难、挫折和挑战。

第一，自信心是战胜困难的法宝，家长要懂得保护、培养孩子的自信心。许多孩子对考试感到紧张、压力大，其实家长并没有逼他们非要考高分，紧张的主要原因还是自信心不足。如果你问他为什么紧张，孩子可能会表示："我怕考不好，我也复习了，但我怕考试时，一紧张就忘了。""我怕考不好，同学们会看不起我。""我爸妈对我太好了，我怕考不好对不起他们。""爸妈老唠叨，我心里特烦。"孩子心中有太多的顾虑，怎能轻装上阵？家长也希望孩子信心百倍，但信心不像药水可以随时灌注，自信心是对自我能力的信任和肯定，就是相信自己能干好某件事。孩子首先要有机会去做一些自己想做的事，通过自己的努力，克服种种困难，最后获得成功。哪怕是做好一件小事，孩子也会逐渐认识、了解、承认自己的能力。在这个过程中，家长要信任孩子，对孩子表示肯定和鼓励，孩子才会相信自己的能力，强化自己的行为，并愿意不断努力。可是，许多家长很少让孩子独立思考和行动，不让孩子做家务和处理外界事务，老担心孩子做不好。孩子一问问题，家长就给他现成答案；孩子一遇到困难，家长就帮忙解决。有些家长还经常挑剔孩子，很少表扬和鼓励孩子，对孩子说的多，让孩子做的少，为孩子操心多，放心少。这样孩子肯定会对自己产生怀疑，怎么能培养出自信心呢？

第二，家长要懂得帮助孩子克服紧张情绪的科学方法，而不是照顾越多越好。怎样才能让孩子有最好的情绪状态？对此很多家长是费尽心思。有的家长想让孩子早晨多休息一会儿，就尽量晚一点叫醒孩子。给孩子做好早饭，盛在碗里，打好洗脸水，挤好牙膏，准备好衣物，甚至系好鞋带，然后才叫醒他。孩子迷迷瞪瞪地起来，一看时间晚了，就特别不满，甚至无端发脾气。有的家长对孩子过分溺爱，百依百顺，孩子几乎没有受过什么挫折，当模拟考试成绩不理想，又受到老师的批评时，就特别怕考试，怕见人，再也不愿去学校。还有的孩子在临考前的早晨，在家大哭大闹，说肚子痛、恶心、浑身难受等。心理学家研究发现，让大脑休息的最好方法是睡觉或做一些体力活动（如运动、劳动），精神紧张的状态下即使什么都没干，大脑也在工作。如果大脑总是处于紧张和疲劳状态，学习效果就很差。面临考试的孩子，如果晚上睡得晚，早上起得早，睡眠不充足，白天又几乎没有任何体力活动，大脑怎么能得到有效的休息呢？正确的做法是课间可以跳绳、慢跑 10 分钟；在家可以学习 50 分钟，劳动 10 分钟，这样的学习效率要比连续学习几小时好得多。人在持续的心理紧张状态下，还会产生植物神经系统功能紊乱，出现心悸、出汗、头疼、腹痛、痛经等症状，还有的孩子会出现歇斯底里的情况，这些需要尽早找心理医生对症治疗。

第三，家长不要把自己的紧张、焦虑情绪传染给孩子，考试时最好和平时一样。有的家长生怕孩子不好好复习，将来考不好，整天在孩子耳边唠叨：“现在条件多好呀，我们为你付出多少心血呀，你要是考不好对得起谁呀？”“现在都什么时候了，你准备充分了吗？”把孩子搞得紧张不够，烦躁有余。有的家长正好相反，什么也不敢对孩子说，生怕哪句话刺伤孩子；做饭时特别注意增加营养，吃饭时盯着孩子的筷子，怕孩子吃得少，营养不够，晚上还要准备夜宵；半夜要起来看孩子是否盖好被子，怕孩子着凉感冒；什么都不让孩子做，怕浪费孩子的时间，等等。这些小心翼翼的做法，都会让孩子感受到无形的压力，以及家长的焦虑心情。大多数家长都会对孩子强调：“千万别紧张！一定要好好考！”其实，紧张的情绪是越强调越出现，越控制越严重，当紧张情绪出现时，要教会孩子顺其自然：紧张没关系，我豁出去了！同时做深呼吸，不要拼命克制，镇静几分钟后，开始答题。如果不克制紧张，几分钟后它就会自然而然地消失了，顶多出一身汗而已。

孩子面临考试，心理状态会比较敏感、脆弱，家长要有一颗平常心，把战时当平时，用轻松、镇静的情绪去感染孩子。孩子情绪稳定，才能保证正常发挥。

❖ 法　则　五 ❖

消除心理障碍，使学习更快乐和有效

人的心理和生理一样，也会出现失调、障碍、疾病，人的心理发育要到 25 岁才基本完成，所以难免有许多方面会出现发展不足、问题和障碍。很多家长把孩子在生理上看作娇弱的，而在心理上却用成人的标准严格地要求他们，以为孩子有些行为问题都是淘气、不听话，或者故意的。家长总是想方设法管教和压制孩子，结果适得其反，孩子的成长没有得到应有的促进，反而加剧了一些心理问题和障碍。家长的这种做法，首先影响的便是孩子的学习行为。

1

孩子有哪些问题可以找心理医生帮助

我的女儿从小脾气特别拧，自己认定的事一般别人都说服不了她。她长得比较漂亮可爱，经常得到亲戚的夸奖，这样更助长了她的脾气。她小学时学习成绩还可以，上了初中以后，经常回来说老师这样不好那样不对，如果老师有一点点错误，她就抓住不放，自尊心特别强。最近她的学习成绩有些下滑，对不喜欢的老师的课不好好听，也不认真完成作业，老师希望我们带她去看看心理医生，请问孩子的脾气不好算是心理问题吗？

一位家长

有许多孩子身体没什么毛病，但是行为上却存在很多问题，例如学习上的困难、社会交往方面的困难，还有情绪方面的问题等，这些问题让家长非常头疼，用我们传统的教育方法往往不能奏效，需要用心理学的方法来科学有效地帮助孩子成长。

心理学是研究人的心理现象及其规律的科学，心理现象主要是指人的行为，包括人的感觉、知觉、记忆、思维、情绪、意志、能力、性格等。我们只有了解孩子的心理发展规律，才能找到解决孩子行为问题的途径。

心理学家能够帮助我们为孩子做什么

首先，心理学家能够帮助我们了解哪些行为是孩子生长发育过程中会正常出现的行为，哪些是低于发展水平并且需要矫正的行为，哪些是需要心理干预的问题行为，哪些行为是需要进一步发展提高的。所以，当家长发现孩子的行为与众（70%）不同并且不能适应环境时，先不要轻易地给孩子下结论，说孩子智力有问题，而是需要找心理医生做一些心理检查、分析和诊断，有些孩子的行为是超常的，有些孩子的行为则是有问题的。例如，孩子两岁以内吃手都是正常的，两岁半应该会说话，上一年级时注意力能保持 20 ～ 30 分钟是正常的，但是孩子一天只能专心做一件事则是不正常的。

其次，心理学家可以帮助我们分析孩子的不正常的行为是心理问题、心理障碍还是心理疾病，例如适应不良、胆小紧张、爱哭不合群等都属于心理问题，考试紧张综合征、口吃、计算困难等属于心理障碍，心理发育迟缓、抽动秽语综合征、多动症、孤独症等属于心理疾病。对于心理问题，需要家长和老师改变教育方法，给予孩子良好的生长环境。对于心理障碍，家长和老师除了要改变教育方法外，还需要对孩子进行心理训练和行为矫正。对于心理疾病，则需要心理治疗，甚至需要药物治疗。

最后，孩子的心理问题一般可分为三大类：

（1）学习方面的问题，如上课注意力不集中、写作业拖拉、粗心大意、学了就忘、视而不见、充耳不闻、自觉性差、生字记不住、计算时加号看成减号、左右颠倒、抄错数字等。

（2）情绪方面的问题，如紧张胆小爱哭、爱惹人打人、黏人、挑食偏食、吃手、学校恐怖症、考试恐怖症、焦虑、怕黑、不能独处、不合群、急躁、爱发脾气等。

（3）严重的行为问题，如语言发育障碍、自闭、抽动症、多动症、尿床等。

孩子出现心理问题或障碍要及早找心理医生，在孩子的问题行为没有定型之前及时进行有效干预。

2

什么是感觉统合失调

我们经常在媒体上听说“感觉统合失调”这个词，我也注意观察自己的孩子，发现他有许多方面都存在这样的问题，能否详细解释一下这个概念和具体的训练方法？

一位家长

有许多家长和老师为孩子的注意力不集中、学习成绩差、做作业拖拉、多动、紧张、胆小、退缩、爱哭、不合群、吃饭挑食或暴饮暴食等性格障碍深感头疼。过去，有的人将这些问题诊断为多动症，给孩子吃药、打针等，但效果甚微，还可能造成某些后遗症；还有的家长认为孩子是故意不听话，对孩子又打又骂，给孩子造成了身心创伤。1970 年，美国的心理学家爱瑞斯首先发现在 3 ～ 13 岁儿童中，有 10% ～ 30% 的儿童会出现上述症候群，但这并不是教育问题，而是儿童大脑功能发育不协调，需要进行心理训练来加以矫正。科学家经过大量临床心理研究发现，相当数量的儿童出现上述问题是由于大脑对身体感觉统合的障碍，在医学和心理学上称之为感觉统合失调或学习能力障碍。因为人体各部分器官都是在与外界接触后向大脑传递感觉信息，这些信息经过大脑的有效组合，指挥人完成各项活动。当这一系统由于发育或其他原因不能正常运转时，就会出现上述行为问题。

儿童感觉统合失调的表现

前庭平衡功能失常：表现为好动不安、注意力不集中、上课不专心、爱做小动作。他们比一般孩子更容易给家长添麻烦，喜欢挑三拣四，很难与其他人同乐，也很难与别人分享玩具和食物，不能考虑别人的需要。有些孩子还可能出现语言发展迟缓、说话晚、语言表达困难等。

视觉感不良：表现为尽管能长时间地看动画片、玩电动玩具，却无法流利地阅读，经常多字少字，写字时偏旁部首常颠倒，甚至不认识字，学了就忘，不会做计算，常抄错题等。

听觉感不良：表现为对别人的话充耳不闻，丢三落四，经常忘记老师说的话和留的作业等。

动作协调不良：表现为平衡能力差，容易摔倒，不能像其他孩子那样会翻滚、系鞋带、骑车、跳绳和拍球等。

本体感失调：表现为缺乏自信，消极退缩，语言表达能力差，手脚笨拙等。

触觉过分敏感：表现为紧张、孤僻、不合群、爱惹别人、偏食或暴饮暴食、脾气暴躁、害怕陌生环境、吃手、咬指甲、爱哭、爱玩弄生殖器等。

这些问题无疑会造成儿童学习和交往障碍，因为这样的儿童尽管有正常或超常的智商，大脑却无法正常有效地工作，因而直接影响了其学习和运动的完成。

感觉统合失调的原因

造成儿童感觉统合失调的原因很复杂，主要与孕育过程中的问题和出生后的抚育方式有关。例如，先兆流产、妈妈在孕期用药或情绪处于应激状态、早产、剖宫产、出生后家长摇抱少，尤其是没让孩子经过爬就会走路，孩子静坐多、活动少，过分限制孩子的活动范围等。这些问题在孩子幼年时也许不会表现出来，但到了学龄期，这些孩子就会在学习能力和性格上表现出这样那样的障碍。与其他孩子相比，他们接触到的新知识一学就会，也能注意力集中，但是在学习能力、人际交往能力和心理素质方面就显得十分薄弱，让家长和老师非常操心。据调查，普通人群中，有 10% ~ 30% 的儿童存在不同程度的感觉统合失调，家长和老师应及早发现孩子的这些行为问题并及时进行心理训练，否则，孩子的智力发育和学习能力发展会受到影响，造成孩子学习基础差、心理发育迟缓、人际关系出现问题，进而出现厌学、逃学、撒谎等行为问题。

儿童感觉统合训练

儿童感觉统合训练首先由心理专家测查和诊断孩子的感觉统合失调程度和智力发展水平，然后制定训练课程，通过一些特殊研制的器具，以游戏的形式让孩子参与，一般经过 1 ～ 3 个月的训练，就可以取得明显的效果，孩子的学习成绩、逻辑推理能力、理解能力、记忆能力、动作协调能力、人际关系、饮食和睡眠、情绪等方面均能获得令人满意的提高和改善。其中，儿童的智力水平也可以得到不同程度的提高。美国、日本等地从 20 世纪 70 年代起就倡导儿童感觉统合训练，现已发展成每个学校都设有感觉统合训练室，取得了很好的效果。目前，国内已研究开发了这一训练理论和技术，并在受训儿童中取得了明显的疗效。临床实践表明，参加训练的儿童都有不同的改善，其中 85% 的受训儿童收到了显著的效果。

儿童感觉统合训练的课程安排

儿童感觉统合训练一个周期是 20 次，一次约 1 小时，训练内容包括感觉统合训练和特殊脑力训练两部分。心理医生根据每个孩子的失调程度安排不同的训练课程和时间。训练 20 次后免费测验，鉴定效果。训练时间是孩子下课后和节假日，一星期应不少于两次，重度失调儿童的训练次数应更多一些。

3

感觉统合训练可以矫治儿童的哪些特殊行为障碍

我是一名幼儿园教师，有多年的教学经验，我发现近些年来儿童身体疾病减少了，而行为异常的孩子却越来越多了，而且我们使用传统的教育方法根本解决不了这些问题，请问从感觉统合训练的角度可以解决孩子的哪些行为障碍？

一位老师

心理专家研究发现，感觉统合训练不仅可以矫治儿童注意力不集中、写作业拖拉、粗心大意、情绪不稳、学习困难等问题，还可以帮助解决孩子的其他行为问题。

孤独症

最早可以在几个月的孩子身上发现，其主要特征是情感淡漠、不主动要家长抱，自己可以玩很长时间，过分安静，不与他人沟通。有些孩子过了说话年龄仍然不说话，或者会说话但是不说，不会回应别人的问话，爱自言自语，或重复说一些话、做一些动作。有些孩子注意力特别不集中，无法完成指定的任务。有些孩子智力正常，在某些方面还特别突出，但不能和其他孩子一起学习。孤独症的发病原因还不明确，目前中外专家都还没有找到有效的药物来治疗，但心理训练是最好的改善、矫治手段。感觉统合训练能促进孩子与外界的沟通能力，增强大脑与口、眼、耳、手等的协调性。

抽动症

多发生在 3 ~ 15 岁的孩子身上，且男性多于女性。其临床症状主要表现为：身体某部位（面部、肢体）突然发生多发性不自主的抽动，有的还会发出不自主的怪声，或刻板重复脏话和秽语等；常有模仿言语及动作，或有强迫观念。抽动症状大多先出现于面部、颈部、肩胛带肌群，如眨眼睛、抽鼻子、噘嘴巴、耸肩膀、摇头等，然后逐渐扩大到躯干及下肢肌肉。在临床检查中，患者的神经系统并没有器质性病变，而是神经功能性发育不健全。此病发病原因多与母亲怀孕时的不良身心状况，以及孩子的产伤、早期训练缺乏、过重的学习负担、神经功能过分敏感等有关。感觉统合训练是使外部信息大量传入受训者大脑，促进其大脑整合信息，并使神经系统适应纷杂的环境和紧张压力，增强其自我调节功能。

语言障碍

语言是儿童大脑发展的一个窗口，2 ～ 5 岁是儿童语言发育的关键期。孩子的语言障碍有以下几种：说话晚；发音不清，大舌头；口吃；词汇贫乏，抽象能力差，表达不清；话多，滔滔不绝，只顾自己说不听别人讲；会说话，但拒绝和别人沟通；等等。语言障碍会影响孩子的智力发展，也会影响孩子社会交往能力的发展。一般正常的孩子在一岁到一岁半，最晚到两岁就会说话，如果孩子到了两岁半还不会说话，就属于语言发育迟缓，家长首先要检查孩子的智力发展水平。也有智力正常的孩子存在语言障碍，例如在法则一第 5 节中提到的，听觉分辨能力差，会影响孩子的发音。孤独症的儿童有 75% 智力发育迟缓，智力发育迟缓又造成语言发育迟滞。有 25% 的孤独症儿童在 1 ～ 2 岁时会说话，但到了 4 ～ 5 岁时拒绝说话，不与别人沟通，或者只是刻板地重复别人的话。儿童心理专家在训练儿童语言能力时，不是只教他们如何说话，还要训练他们的大脑前庭功能、本体感、触觉等，来促进其大脑语言功能的发展。

注意力障碍

有些孩子上课注意力不集中、爱做小动作、爱招惹别人、坐不住，常被怀疑为多动症，有的还被要求吃药。要判断到底为何种病症，我们首先要观察：孩子除了上课、写作业时爱动外，看电视、玩的时候是否爱动？能不能持续坐住 5 ~ 20 分钟？有没有冒险、莽撞的行为？上课时是否经常影响别人，使大家无法上课？如果答案都为“是”，才有可能是多动症，可以通过心理训练治疗。而大部分孩子并不是多动症，但有上课注意力涣散的问题。这时，第一，要检查孩子的智力，智力发育迟滞会伴有注意力无法集中。第二，要检查孩子的大脑前庭平衡功能，有的孩子做旋转的游乐设施从来不晕，还爱绕圈子跑，爱摔跟头，不会走平衡木等，这些症状都表明其大脑前庭平衡功能有问题，因而造成注意力不集中。母亲怀孕时胎位不正、先兆流产、早产、难产、剖宫产、早期过分限制孩子的运动，都会影响孩子前庭平衡功能的发展。第三，要检查孩子的情绪敏感性，情绪不稳定的孩子非常敏感，周围的动静或家长的情绪都会影响他们的注意力，所以上课时他们总爱管闲事，无法专注。第四，要检查孩子的协调性，这里是指大脑对身体各部位的控制力，体育差、动手能力差、动作慢的孩子，写作业就快不起来，上课也跟不上老师的要求，自制力也差。第五，要检查孩子是否厌学，有的孩子是听懂了就不再爱听，有的是对老师反感就不爱听，有的是学习目标不明确，有的是和家长唱反调、厌恶学习、一心想玩，等等。找出问题所在，我们才可以在心理医生的指导下做专门的训练来矫治。

4

孩子反复思考，停不下来怎么办

一名中学生在妈妈的陪同下来找心理医生。他瘦瘦高高的个子，脸色苍白，眉头紧锁，一定是有什么烦心事在折磨他的心灵。一见到心理医生，他就急迫地说开了。

咨询者：大夫，我都快急死了，我的大脑为什么老停不下来？

心理医生：别着急，慢慢说。你都不停地在想什么？只要在清醒状态，人的大脑当然要不停地思考啦！

咨询者：我不是正常地思考，而是不论多小的事，都要想个明白，穷追到底。一件事情已经做完了，还要不停地进一步思考下去。例如，我经常想我过去有些学习方法不对，是怎么不对，应该及时纠正，等等。考试时，一道题已经解出来了，我还要继续思考，这样特别浪费时间，考试题常常做不完。最严重的是最近一段时间，晚上都没法睡觉，老是在思考，有几次我觉得恐怖极了，抱着自己的脑袋要撞墙，只有自杀才能让我停止思考。你说我这是什么毛病？

心理医生：你这是强迫性思维，是神经官能症的一种，通过心理治疗或药物治疗可以缓解，你心理上不要有负担。你看你的脸色这么难看，平时除了睡眠不好，经常参加体育活动吗？有自己喜欢的业余爱好吗？

咨询者：我比较懒，不爱动，基本上没有什么爱好，就是爱思考。

妈妈：我插一句。说起来我们也有责任。他小时候我们都特别忙，把他放在姥姥家，经常把他关家里看书、看电视，不让他出去和别人玩。他接触外界社会特别少，参与的活动也很少。一开始是以理想化的眼光看世界，长大接触社会后，发现社会的阴暗面特别多，不理解的地方特别多。所以，他总是在思考：为什么会这样，为什么会那样？他还有个特点：敏感、胆小、自卑、完美主义。过去我们总是给他现成答案，这次我们可帮不了他了。

心理医生：你现在的心理障碍与你的早期经历和性格有关。另外，你是不是还经常反省自己的“思考”？就是说，想完了又觉得自己这样想是不应该的，应该控制住，停止思考。

咨询者：对，我知道这种思考是多余的，可又控制不了。我可不想吃药。

心理医生：我刚才已经说过，人只要是醒着总是要思考的，而且，即使在做这件事，思想上也可能开小差，这是正常的现象。你的主要问题是：对细小的问题考虑过多，过于理想，思考时偏离主线，信马由缰，总想一些不必要想的事；当自己出现上述问题后，又不允许自己开小差，拼命要控制它；想得多做得少，缺乏直接经验，对自己没有信心。所以，我要求你控制自己的行动，做应当做的事，例如考试时做题，答案出来后马上做下一道题，尽管脑子里想要继续思考，也不要谴责自己，但也不要放纵思维，而要用你的行动来牵扯思维。当你做下一道题时，思维自然而然地就会跟上来。你还要多参加体育活动，多做事，当你闲坐时最容易遐想。人的大脑只有在睡眠、从事体力劳动或运动时才得到休息，所以，你要学会让自己的大脑劳逸结合。晚上入睡前一般都有 20 分钟的准备期，大脑肯定会想问题，这是正常的，你不要紧张和排斥。睡觉前做一些放松运动，接受自己的自然状态，你很快就会轻松起来。

5

怎样帮助孩子克服自卑心理

我是一名中学生，性格比较内向孤僻，学习成绩一般，我总觉得自己不如别人，对别人的看法很在意。我做事情比较拖拉，常常完不成计划；我不善于和别人交往，也没有什么朋友，没有什么业余爱好，生活枯燥乏味。以前父母在生活上对我关心较多，什么事也不让我做，但在感情上没有什么交流。他们对我比较挑剔，总说我这也不行那也不好，我自己也很自卑，请帮助我走出困境。

求助者小威

从小威同学的自我介绍看，他对自己的评价过低了。我们建议他拿一张白纸，中间画一条线，在左边写出自己的优点，在右边写出缺点，也许他会认为自己没有什么优点，但每个人都有自己的闪光点，不可能尽是缺点。虽然我们不熟悉，可我也能说出小威的一些优点：善良、谦虚、上进、内省、对自己要求比较高。但是，小威同学也有个突出的缺点：自卑。他把自己评价得过低，不是他自己真的一无是处，而是他觉得自己一无是处，这种沮丧的感觉会严重地影响他的自信心，阻碍他的学习和未来事业的成功。

自卑感的成因

自卑感的形成首先是因为家长对孩子挑剔、否定和过多保护，没有给予孩子客观的评价和充分的肯定，孩子对自己的评价就会有偏差。家长的包办代替使孩子没有机会按照自己的想法去实践，孩子自己独立解决的问题越少，自卑感就越强。孩子一旦已经出现这样的问题，埋怨家长也没有用，应该学会自我肯定，多采取实际行动去解决问题。有的孩子虽然觉得自己一无所长，实际上是能够完成基本的学习任务的，还是应该肯定自己。对自己要求高是好的，但是不能因达不到要求而感到遗憾和沮丧，应该将之变成进步的动力，争取逐步做得更好。

用行动为自己增加信心

如果你觉得自己有许多不足之处，那应该制订一个改进的计划，并付诸行动，行动能够让人感到充实和提高，而不是只有担心和焦虑，却没解决问题，许多类似的孩子都是想的比较多，但真正做的比较少。通过行动你一天天地进步了，信心自然会增加。

一个人对自己和环境很不满足，所以就会不快乐，适当的满足感才能让人感到幸福。我建议小威要培养自己的业余爱好，强迫自己和别人交往，否则，寂寞和痛苦会充斥他的生活，别忘了，人是社会中的人，是适合群居的动物。另外，如果有机会，应该学会和父母沟通，许多同学觉得家长不能理解自己而和他们疏远，其实父母都是很愿意了解孩子内心的想法的。

6

怎样帮助孩子克服“多疑”

我有个不好的毛病——多疑。我会怀疑我的同学、父母和老师，包括自己的身体健康状况。别人都不在乎的事情，我心里总要犯嘀咕，拿得起，放不下。所以，我总是担心这担心那，心里很少有快乐。小时候我上的是整托、寄宿学校，胆小，不会和别人交往，没有真正的朋友，有的同学还欺负我。也许这对我的性格有很大影响，使我对一切都持怀疑的态度。虽然现在我的学习挺好的，但我很难和别人建立相互信任的关系，我感到非常痛苦，我该怎么办？

求助者小秦

性格对人的生活和学习的影响很大，它一部分来源于遗传，一部分来源于后天的教育方式和生活环境。早期生活经历对性格的形成有很大影响，因为幼时的小秦受到过别人的不友好对待，总处于不安全的心理环境中，所以他对谁都不信任，这样的态度会影响他终身的行为方式。

转换视角，调整心态

因为多疑，小秦经常会担心别人如何看待他，别人又会如何议论他，和别人在一起时他会过分紧张戒备，心理上很难放松，因而他很少有真正的知心朋友，孤独寂寞让他非常痛苦。其实，小秦在任何一个地方都可以交到朋友，因为任何人都有好的一面，就看你是否能够发现。如果一个人来到一个新的环境，周围有十个人，一开始你对他们都很好，有的人会回报你友谊，也有的人会恩将仇报，还有的人不当回事。那么，这其中有两个可能成为你的朋友，有两个可能成为你的对手，有六个可能成为点头之交，下次你就会有区别地对待他们了。千万不要因为少数人对你不友好就认为所有人都这样，也不要还未与人交往就把自己紧紧地封闭起来，这样你一个朋友也不可能拥有。

另外，小秦应调整观念，人与人之间没有无缘无故的爱，也没有无缘无故的恨，所以，没有必要凭空怀疑别人会对自己不友好。在和他人交往时，首先要学会欣赏别人，要主动关心帮助别人，这样就一定会得到对方同样的关怀。如果一个人只想着维护自己的利益，当然会紧张万分。当一个人真正和别人成为好朋友时，就会深切感受到友情无比可贵。

小秦对自己的疑虑，使他丧失了自信心，产生了自卑感，认为自己这也不行那也不行，行为退缩，犹豫不决，不安焦虑。其实，许多事情是需要先做再想的。在做事之前，一个人如果有那么多疑虑，瞻前顾后，许多事情就做不成了。如果义无反顾地先行动了，成功的结果会大大地增强你的信心。也许你会不知如何开始行动，可以列一张表，写出你担心的问题和解决的办法，看看哪些是可以实现的，哪些是不可能实现的，然后积极地采取行动。有一位同学，每次在考前复习时总担心自己考不出好成绩，焦虑一段时间后他不得不想办法用功复习，功夫下到了，当然能很好地完成任务。在这个过程中，行动是非常重要的，而疑虑和焦虑是多余的，是阻碍，要强迫自己“豁出去”。

多疑的人经常只看到事物消极悲观的一面，很少看到生活中美好的一面，其实，把担心的事想透了，结果也没什么可怕的。希望每个正在成长的学生都能学会客观地看问题，这样才能真正放松愉快地生活。

7

孩子害怕在公共场合讲话怎么办

我的孩子小时候活泼开朗，上了中学后，性格一下子改变了。尤其是怕见人，怕叫人，更惧怕在公共场合讲话。即使他准备得很充分，也可能紧张得忘记要说的话。因为他到那种场合就紧张，一紧张就脸红心跳，出汗发抖，眼神就极不自然，拼命控制也不行，就特别想马上结束讲话，离开这种场合。现在他只要一想到要演讲、发言、被老师提问，就会紧张，学习成绩也被他的这个怪毛病给严重影响了。

一位家长

这种心理障碍是“恐怖性神经症”，是比较常见的一种神经官能症，即对某些不应该感到害怕的事物或情境产生强烈的恐惧感，患者明知自己的恐惧是不切实际的，而且所害怕的事物和情景并不会对自己造成伤害，但仍控制不住地感到恐惧，有时还伴有焦虑和不安。恐怖症有不同的表现形式，案例中的学生患的就是社交恐怖，主要是害怕在众人面前出现，特别害怕被别人注意，尤其害怕别人关注自己的窘态，总逃避在公众面前发言，但越少发言就越没有机会锻炼自己，以致形成恶性循环。

恐怖症的成因与心理治疗

恐怖症是怎么产生的呢？这和遗传、早期抚养方式、患者本人的性格有关。例如，性格内向、好面子、自卑、敏感、多疑、急躁、固执、完美主义的人容易患恐怖症。然而，恐怖症并不恐怖，通过心理治疗很快就可以消除这个心理障碍。

第一，要了解自己的性格和病症的关系，恐怖症并不是不治之症，也不会变成精神分裂症，它像感冒一样常见，感觉痛苦但并不可怕。

第二，患者在公共场合讲话感到紧张时，常常是拼命克制自己的紧张，却越克制越紧张，最后就演变成了逃避讲话。正确的做法是不要控制自己的紧张、恐惧情绪，在心里默念："不要害怕，我豁出去了！"同时，强迫自己接着讲话，不管脸有多红，也要把话讲完，结果你会发现，紧张的情绪像潮水一样，在不控制它时，它很快就过去了，也许有些不舒服，但并没有发生什么可怕的事。这种做法就是森田疗法的治疗原则：顺其自然，为所当为。

第三，不要在乎别人如何看待自己，因为发言是为了传达信息，并不是表演，所以要关注自己的讲话内容，而不是表情。

第四，调整自己的性格，把注意力指向外界，而不是自己，不要总是关注自己的一举一动，越关注自己就越不自然。

第五，培养自己的业余爱好，多参加户外活动，让自己放松。有意识地多和别人交往。

当然，冰冻三尺非一日之寒，积累了多年的心理障碍不可能马上就根除，必要时需要在心理医生的具体指导下进行治疗。

8

孩子得的是胃病还是心病

我的女儿以前身体很好，学习成绩也是名列前茅。上初二时功课特别紧张，有一天没吃早饭就去上课了，中午吃饭时一下子胃痉挛，到医院去看病时医生说没什么大问题，但是孩子一到吃饭就紧张，怕吃多了胃疼。结果越紧张胃部越是不舒服，逐渐出现了恶心、反胃，不想也不敢吃东西。她担心自己要生什么大病，去医院做了多次检查也不放心，怀疑仪器不准确，坚信自己不仅胃有问题，胰腺、肠子也有问题。她还看了许多医学书籍，结果越看越觉得自己像得了那些严重的病。后来，医生建议找心理医生看看。

一位家长

向心理医生咨询后，医生诊断上述学生患的是疑病症，是神经官能症的一种，也是常见的心理障碍，与她的早期教育和性格特征有关。她父亲从小对她要求比较严格，母亲则比较溺爱她，什么事都不让她做，从小对她无微不至地关心照顾，她一生病母亲就特别紧张。母亲特别爱干净，老说她这脏那脏，要求每天洗好多遍手，对与病菌有关的东西特别敏感。父母对她期望值很高，好面子。渐渐地，孩子的性格变得爱紧张、多疑、敏感、对自己的身体没信心、固执、完美主义。

有些家长在孩子生病时特别焦虑，心急如焚，孩子逐渐习得了这种紧张情绪，对自己的身体特别关注，对身体内部的感觉特别敏感。有的人总怀疑自己心动过速、体内长了瘤子、得了某种不治之症等，反复到医院做各种检查。他们对自己的身体机能没有一点信心，担心的时候多，放心的时候少。由于完美主义的性格作怪，他们不能容忍丝毫异常感觉，习惯轻易夸大这种“感觉”，而不是正视身体的实际状况，老跟着感觉走，一有不舒服就担心害怕，就去做检查，以致形成了恶性循环。

疑病症应该如何治疗

首先，要了解躯体症状只是过于敏感的感觉，事实并没有患者想象得那么严重，否则仪器是可以检查出来的。工作压力大、身心高度紧张，肯定会造成一些不舒服的感觉，这是正常的反应，不要误以为自己患了很严重的疾病，杯弓蛇影，越想越怕，要对自己的身体有正确的评价，不要跟着感觉走。

其次，请把注意力指向外界，不要总关注自己的身体。多参加户外活动，尤其是体力劳动或锻炼，当你的肌肉疲劳时，大脑会很放松，而人在放松愉快的心境下身体免疫能力会大大提高。

最后，重新审视一下自己的生活目标，不得病是为了健康，健康是为了学习和自我实现、创造价值，疑病症患者总是把不生病看成自己生活的第一目标，整天想的就是这个问题，反而忽略了生活中更加重要的追求。另外，具体的心理治疗需要在心理医生的具体指导下进行。

附：焦虑自评量表（SAS）

下面有 20 条内容，请仔细阅读每一条，把意思弄明白，然后根据你最近一星期的实际感觉填写：A 表示没有或很少时间，B 表示相当多时间，C 表示少部分时间，D 表示绝大部分或全部时间。

（1）我觉得比平常容易紧张或着急。

（2）无故地感到害怕。

（3）容易心里烦乱或觉得惊恐。

（4）觉得我可能将要发疯。

（5）觉得一切都很坏，要发生什么不幸似的。

（6）我手脚发抖打战。

（7）因为头疼、颈痛和背痛而苦恼。

（8）感觉容易衰弱和疲乏。

（9）觉得心境乱，不容易安静地坐着。

（10）觉得心跳得很快。

（11）因为一阵阵头晕而苦恼。

（12）我要晕倒发作，或觉得要晕倒似的。

（13）呼气吸气都感到有点憋气。

（14）手脚麻木和刺痛。

（15）因为胃痛和消化不良而苦恼。

（16）常常要小便。

（17）手脚常常是潮湿和冷的。

（18）容易脸红发热。

（19）容易入睡并且一夜睡得很好。

（20）容易做噩梦。

计分方法：题号为19时，选A计4分，B计3分，C计2分，D计1分。其余题号选A计1分，B计2分，C计3分，D计4分。最后，将所有得分相加，得到你的焦虑倾向得分。如果总分在40分以上，就有必要看心理医生了。

抑郁自评量表（SDS）

下面这个测试是参照你一周内的情绪体验，根据实践活动回答：A表示很少有，B表示有时有，C表示大部分时间有，D 表示绝大部分时间有。

（1）我觉得闷闷不乐，情绪低沉。

（2）我觉得一天之中早晨最差。

（3）我一阵阵地哭出来或觉得想哭。

（4）我晚上睡眠不好。

（5）我吃得比平时少。

（6）我与异性密切接触和以往不一样，并不感到愉快。

（7）我发觉我的体重在下降。

（8）我有便秘的苦恼。

（9）我心跳比平时快。

（10）我无缘无故感到疲乏。

（11）我的头脑近来常感到不清楚。

（12）我觉得经常做的事情现在感到有困难。

（13）我觉得不安而平静不下来。

（14）我对将来不抱有希望。

（15）我比平常容易生气激动。

（16）我觉得做出决定很困难。

（17）我觉得自己是个没有用的人，没有人需要我。

（18）我的生活现在过得没意思。

（19）我认为如果我死了别人会生活得好些。

（20）平常感兴趣的事我现在不感兴趣。

计分方法：选 A 计 1 分，B 计 2 分，C 计 3 分，D 计 4 分。最后所有得分相加，得到你的抑郁倾向得分。如果得分在 40 分以上，就有必要看心理医生了。

法　则　六

鼓励和赏识使孩子愿意完成学习任务

孩子在幼儿园和小学阶段还是很愿意和家长沟通的，但是到了青春期，许多孩子开始不愿意和家长说心里话，家长和他们说话他们还嫌烦。调查发现，孩子有了困难以后最需要得到家长的帮助，可是他们最不愿意对家长说，这就形成了一个矛盾：一方面孩子不成熟，需要家长帮助；另一方面孩子拒绝和家长沟通，使得孩子因为没有得到及时的引导而走了许多弯路，这会影响孩子的情绪，进而影响孩子的学习。

1

怎样和孩子沟通

我家孩子今年六年级，不知道从什么时候开始，孩子越来越不听我们的话，很多时候我们都是为了他好，但是他还是很不耐烦，要么敷衍了事，要么干脆躲着不听，不和我们交流。我们该怎么办呢？

一位家长

父母和孩子能够顺利地交流思想对于相互之间保持良好关系非常重要。父母都希望孩子能讲出自己的思想感受，这样就可以理解和帮助他们。同时，父母也希望孩子能用适当的方式而不是顶撞的方式来表达感情，并且接受父母的忠告。但是，孩子并不是生来就会用适当的方式表达思想和感情，也不是一开始就不愿和父母交流。孩子的许多行为都是从父母那里习得的，父母的态度、习惯对孩子的行为方式有很大影响。

如果我们问家长："你经常与孩子沟通吗？"得到的回答常常是："当然啦，我们经常说，可他一点也不听！"其实，家长所谓的沟通，其中很大一部分是唠叨、提醒、批评、哄骗、威胁、说教、质问、忠告、评论、探查、奚落……这些做法不管出发点是多么好，都只能是减少而不是增加真正沟通的成分，只会使相互间的关系更加紧张和充满敌意。如果你总是板起面孔教训或批评你的朋友，你会从朋友那里得到什么呢？你们的友谊还能维持多久？毋庸置疑，你与朋友之间的关系一定会恶化。

将心比心地想一想，当你心烦意乱的时候，你希望别人用什么样的方式对待你呢？你会希望有人听你讲话并努力去理解你、接受你的感情，你的孩子难道不会这样想吗？因此，做父母的要学会与孩子沟通的技巧，同时也要教会孩子表达自己思想与倾听别人意见的方法。

父母和孩子沟通时应注意的两个原则

1. 谈话要有针对性。

一次谈话并不能解决所有问题，家长不要动不动就摆出一副讲大道理的架势。无论你多么善于讲道理，也无论孩子看上去多么认真地听你讲话，谈话都不可能解决所有的行为问题。孩子需要知道他能做什么和不能做什么，单靠解释是不够的。很多家长特别喜欢指教或说服孩子，他们不厌其烦地一遍又一遍地重复那些他们认为重要的理由、意义和原因等，希望孩子一下子长大成人，事事正确无瑕。其实，这样做一点儿效果也没有，只能使孩子厌烦，变本加厉。最好的做法应该是采用温和的语气直截了当地告诉孩子应该怎么做，如果孩子已做错了什么事，也要明确告诉孩子应受怎样的处罚。如果只是啰里啰唆地长篇大论，“干打雷不下雨”，孩子仍然会我行我素。

2. 根据孩子的年龄和成熟程度决定沟通方式。

父母常常犯的一个错误就是不论孩子大小，一律采用一成不变的沟通方式。对年龄小的孩子长篇大论讲道理和对青春期的孩子关禁闭同样都是无效的。要针对孩子的年龄和心理发展阶段，随时改变沟通方式和技巧。一般来说，对年龄小的孩子应侧重于具体管教，而对年龄稍大的孩子要侧重沟通。把这两种方法的次序弄颠倒了，只能适得其反。那些在孩子很小时就对他们讲大道理的家长发现，随着孩子年龄的增长，他们会变得越来越不好管教，当孩子长到十几岁时，家长又试图用严厉惩罚的手段对待孩子，但是已经听惯了大道理的孩子甚至比其他孩子更不接受这种惩罚，他们会强烈地反抗，甚至做出过激的行为。

沟通的策略

1. 要保证说到做到。

不能做到的事就不说，不要事先不负责任地许诺，事后又将此事忘记，这样会给孩子做出一个不好的榜样，为孩子长大后说谎、不守信用、多疑等不良行为埋下隐患。假如你能够每次都说到做到，孩子就会认真听你的话。

2. 保持目光接触。

小孩子的注意力容易分散，不可能长久地有意识地固定在一件事情上，因此，他们对家长所讲的话和各种要求，很可能这只耳朵进那只耳朵出。最好的办法是让孩子看着你的眼睛听你讲话。

一些顽皮的孩子可能做不到这一点，可以用盯人游戏训练他们的这种行为习惯。盯人游戏的具体做法是：你和孩子之间保持几尺的距离，互相盯着对方，看谁能坚持不把目光移开，把孩子注视你的时间记录下来，告诉他坚持了多长时间，进行一场有趣的比赛。

有时也可以借助皮肤接触的功效使孩子注意听你讲话。例如，把手搭在孩子的肩膀上，或将其肩膀扳过来使之面对你。有趣的是，在和孩子讲话时，用手轻摸孩子的后颈部，有时可起到奇妙的作用，孩子会变得比较容易听话、服从。但是，对于青春期的少年来说则相反，不合适的动作会引起他们的反感，反而会让他们什么也听不进去。

如果孩子做到了在你讲话时注意听，你就要及时表扬他，让孩子知道你欣赏他的这种行为。开始时，只要孩子能听你讲话就予以表扬。之后，当孩子能马上服从时才对他进行表扬。

3. 要心平气和但严肃地对孩子讲话。

有的父母错误地认为，只有大喊大叫才能使孩子听话，事实上这样做反而会给孩子造成不好的影响，使孩子的性格要么发展成暴躁易怒，要么走向反面，变得畏缩胆小。

当你发现自己越说越急、越说越快时，要暂时中断讲话，放慢呼吸，重新和孩子保持目光接触，然后平静而清晰地讲话，这样比大声喊叫要更有威严、更为有效。

4. 不要采用问话的方式。

对孩子提出要求时，要直接、明确讲清要他做什么、什么时间做。不要以商量的口气说："现在把衣服叠起来，行吗？""把碗洗了，好吗？"这样问孩子，孩子很可能会回答"不好""等一会儿吧"，你的指令就不能有效地得到贯彻。

5. 谈话用词要简单明了。

不要对孩子长篇大论、解释过多，不要使用孩子不理解的词，这样孩子会不明白你要他做什么，易于产生厌烦情绪，或忘记你开头要求的事情。

例如，要求孩子将自行车放好，可以有不同的说法："快把自行车放好，要不然可能被碰坏。再说天要下雨了，车淋了雨就会生锈……"也可以说："你马上去把车放好，不然一个星期不能骑！"相比较而言，后一种说法对孩子更有效。因为孩子能很快记住简单明了的事实结果，却很难记住一串大道理。因此，不要对孩子大讲什么意义、理由之类的理论，而是给他两个简单明确的要求，让他做出选择即可。只有这样，孩子才会很快去做，而不拖拉。

6. 让孩子了解你的态度。

孩子做错事后，如果你直接指责他，可能会遭到反抗，适得其反。但是，如果不告诉孩子你的不满情绪，那么孩子就不知道自己不该做什么、应该做什么。因此，家长可以用“我”而不是“你”开始讲话，例如：“我真是急死了，你回来这么晚，我还以为你迷路了！”而不要说：“你是怎么搞的？现在才回来！”用“我”代替“你”开头，可避免对孩子的批评、指责和攻击，同时又能有效地表达出你的不满情绪，让孩子在知道自己做错了的同时，又能感受到家人的担心，减少孩子的逆反心理。

总而言之，家长和孩子及时沟通，对帮助孩子健康成长非常重要。良好沟通的前提是要掌握和孩子沟通的技巧，教会孩子正确表达自己的思想。

2

怎样和孩子说话

> 每次我和爸妈说起学习以外的话题，比如最近喜欢的歌、班上的同学，或者我自己的一些想法，他们就说我不务正业，一看就没有把心思放在学习上，说着说着又开始数落我最近的考试成绩。我现在越来越怕和他们聊天，还不如什么都不和他们说。
>
> 一位同学

除了行为，语言是成人与孩子进行沟通和对孩子进行教育的另一途径。从成人的语言信息中，孩子可以了解到他们的态度，从而影响自己的行为方式。

避免使用不当的语言

任何一个人在被他人责难、批评、取笑、评头论足时，都会感到挫折和打击，但是，家长和老师常常使用这样的语言：

• 责难，对人格进行攻击的语言。例如：“你应该知道这些！”“怎么连一点脑子都没有？”“不许这样！”“像你这样讨厌的孩子真少见！”

• 轻视和嘲弄的语言。例如：“你真像个小少爷！”“这个都干不了，你还能干什么？”“够了，够了，你真是我的小祖宗！”“真不害臊！”

• 评论和刺激自尊心的语言。例如：“想让别人都知道你是不是？”“是不是要让人生气？”“你想知道我的忍耐限度，是不是？”“是不是老想在我干活的地方玩？”

• 说教和指示性的语言。例如：“打断别人的讲话是不礼貌的！”“好孩子是不这样做的！”“你什么时候才能长大呢？”“不许把脏碗这么放，听到没有？！”

心理学家研究发现，上述这些类型的语言或多或少地都会影响孩子的生活态度，使他们受到挫伤。这些语言强调孩子的缺点，攻击孩子的人格和自尊。还有的家长和老师喜欢指着孩子鼻子骂他，这些都会对孩子产生一系列消极影响，比如：

• 产生自卑感，认为自己真的很坏、真的不行，从而自暴自弃。

• 认为父母或老师不公正，从而产生逆反心理。“我并没有干什么坏事！他们却这么说我，哼！”

• 认为父母或别人都讨厌自己，不喜欢自己，产生被抛弃感。

• 为自己的行为辩护，不认为自己有什么错误。“我没干什么呀！我这么做碍着谁了？”

•以攻击成人的缺点来平衡自己。“妈妈也那么做了！”“你也是个不讲卫生的人！”

• 丧失自尊和自信，产生无能感。“都是我不对，我一点也不好，处处不受人欢迎！”以致今后处处感到自己低人一等，依赖心理严重，没有自我价值感。

那么，父母和老师应该采用怎样的语言才能科学有效地教育孩子呢？

我们来比较一下下列两组语言：

一种是指向对方的：“快停下！”“不许这么搞！”“你真是个淘气的孩子！”“为什么你不能乖一点呢？”“你早就应该知道这些！”

另一种语言是指向自己，将“我”的感受告诉对方：“坐在这儿，爸爸还能休息好吗？”“累的时候，妈妈不想玩。”“时间来不及了，还没准备好，我真担心！”“干净的房子搞脏了，我好失望！”

研究结果发现，孩子对后一种说法更容易接受，后一种说法有助于建立起良好的亲子关系。

以“我”为主的语言表达方式，可以减少孩子的抵触情绪和对抗心理。孩子的某个行为错了，与其直接批评他，不如说出这种行为给别人带来的感受，这么说也可以避免攻击孩子的人格。

同样一种信息，不同的表达方式会产生不同的效果，使用不好会产生意想不到的负效应，因此家长和老师都应注意自己的语言。

3

怎样鼓励孩子

孩子总说我从不表扬她，也不懂得鼓励。其实我也知道教育孩子要刚柔并济，不能一味地责罚打压。但是我怕自己掌握不好合适的度，万一鼓励和表扬助长了她的骄傲，让她不继续努力了怎么办？对此，我也很困惑。

一位家长

鼓励是改善家长与孩子之间关系最重要的技巧之一。通过鼓励可以帮助孩子建立自信和自尊，使其成为能正视现实、克服困难而不是过分地追求完美主义的人。作为家长，总是希望孩子完美无缺，他们的注意力往往不是放在他们所喜欢或欣赏的孩子的行为上，而是放在孩子的错误行为上，总是对孩子的表现不满意。正如一位家长所言：“孩子一天当中只有极少的时间能让人觉得愉快，大部分时间都让人烦得要死！”其实，问题的关键不在孩子而在家长。我们常常可以发现这样的现象：家长期望孩子懂礼貌、尊重别人，但他们自己总是大声训斥孩子，粗暴地对待孩子。他们期望孩子自信、自立，却总是帮孩子做这做那，使孩子觉得自己无能、感到自卑，没有机会去完成困难的任务。因此，重要的是，家长应该变消极态度为积极态度，在孩子失败或遇到挫折时，变训斥为鼓励，变嘲笑为指导。

怎样用积极的态度对待孩子

1. 不要给孩子消极的信号。

当一个家长要求孩子第二天早晨自己收拾书包时，应该说："我相信你能做到这一点。"而不是说："你能做好吗？"后一种表达会使孩子怀疑自己是否有完成这项任务的能力，在具体做的时候就不会竭尽全力，而是容易气馁、半途而废，从而招致失败。

2. 不要对孩子提出不合理的高标准。

家长和老师都希望孩子上课时能时时刻刻专心听讲，每天都能做到作业本整整齐齐，穿着干干净净，然而，这种要求对于上小学的孩子来说过于严格苛刻。所以，家长不能对孩子期望过高，不要使孩子觉得他们始终达不到预想的标准，这样的孩子会过早地失去童真和快乐。

3. 不要设置双重标准。

很多家长对孩子的要求标准很高很严，却对自己用另一套标准。例如，有些家长要求孩子东西从哪里拿的就要放回哪里，可自己却常常乱丢东西；他们要求孩子一回家就做作业和家务，而自己一回家就躺沙发上玩手机，什么也不做。家长的这种做法会使孩子感到不服气。

4. 家长必须学会接受孩子的一切，包括他们的缺点。

举例来说，当孩子做作业错了几道题后，家长往往不能容忍，他们不是注意到孩子在 20 道题中做对了 15 道，而是紧紧盯住错了的 5 道题，如果家长想帮助孩子进步，又总是着眼于他们的缺点，就会使孩子失去自信心。试想一下，如果有人总是在提醒你记住你的缺点，那会怎样？你会有自信心吗？只有当人们认识到自己总体上还不错，并相信自己有能力改进的时候，才可能改善自己的行为。所以，作为家长，对孩子犯错要做好充分的思想准备，出错是每一个正常孩子都会有的事，首先要肯定孩子好的一面，再帮助孩子改进不足的一面，让孩子知道错误是应该改正的，错误是能够改正的。

5. 给孩子一个积极的态度，而不是代替干预。

我们经常可以看到有的家长对正在洗衣服或做饭的孩子挑三拣四，嫌孩子干得不好，最后干脆自己动手，不让孩子插手了。这样做的结果会使孩子越来越懒。家长的代替干预多，会养成孩子好吃懒做、依赖性强、动手能力差、责任感差等诸多问题。因此，当孩子正在尝试着解决一个问题或者正在做一件事的时候，家长不要去干预，更不要包办代替，因为干预表达了一种暗示：“你没有能力把这件事做好。”如果孩子请求你帮助他，那你应该用建议的方式表达你的意见，而不是开“处方”式的，给孩子现成的答案，你可以这样陈述你的意见“如果……你想想会发生什么呢？”“你有没有考虑过……”“我发现……很有帮助”等。如果孩子为了得到你的注意，不愿独立思考和行动而请求你的帮助时，你就应该告诉他，你对他的能力充满信心：“你以前就做得很好，所以，你现在也一定能够做好。”只有你相信孩子的时候，孩子才会相信自己。不要总是说：“你能做好吗？”“你要是做不到怎么办？”如果家长不相信孩子，孩子就难以培养出自信心，家长应学会少看孩子的错误，多表达对孩子的信任，应机敏地指出孩子所做努力的积极一面。

6. 重视孩子的贡献、自身价值和优点。

要想培养孩子的自信，就要使他感受到自己是有用之人，并且知道他的贡献确实有用并且受到重视。很多家长提及自己的孩子时，总是把孩子说得一无是处，在家里又什么都不让孩子做，因为孩子做什么都难以达到父母的高标准。要想使孩子感受到自己的价值，家长应客观地评价孩子，肯定孩子的长处，帮助孩子用自己的特长为家里做出一份贡献。例如，孩子擦玻璃擦不干净，但擦车可能做得很好；扫地可能扫不干净，但取牛奶、买馒头很麻利……我们总能发现和培养出孩子做某件事的特长，使这件事成为孩子的“专利”，常常赞扬他，鼓励他越做越好。这样，孩子当然会为自己在家中的“重要位置”而感到自豪和自信。

7. 鼓励孩子的每一个进步，而不是关注其最终的成就。

家长常常关注孩子的考试成绩，却忽视孩子平时的每一个微小进步，这样做的结果会使孩子索性不去尝试每一个微小的努力，因为他一下子看不到长远的后果，又缺乏耐心和意志力。因此，家长需要对孩子的每一个进步都进行鼓励，使他们的正确行为得到强化。总之，鼓励应着重于内在的评价和个人的贡献，在鼓励中教会孩子接受和认识自己的不足，使其充满自信，在做贡献中感受到自己的价值。

4

怎样表扬孩子

教育孩子的过程中，我习惯了一发现孩子的缺点就说出来，希望他改正，但对优点就没那么敏感，所以很少表扬孩子。后来才发现这种只批评不表扬的方式并不可取，但“表扬”并不是件简单的事，怎样表扬孩子，才能对他的成长帮助最大呢？

一位家长

家长总是很容易发现孩子的缺点，却对孩子的优点视而不见。例如，孩子一放学就自觉地做完作业，家长却认为这是理所应当，没有给予适时的表扬，但当孩子一回家就看电视时，父母常常对其大声训斥。

孩子的生活中如果只有批评，缺少表扬，他会变得自卑，缺乏自信心，有时甚至自暴自弃，任何意见也听不进去。孩子有好的行为时家长没有反应，从事消极活动时却能引起家长的注意，久而久之，孩子就会经常创造出消极的“事故”，以引起家长的注意。有些家长可能会担心表扬多了会使孩子骄傲，过多的表扬确会造成孩子以自我为中心，所以做到表扬恰当至关重要。

什么是恰当的表扬

1. 要表扬孩子的行为而不是表扬孩子的人格。

表扬得尽可能具体，例如：“小刚，你今天见了客人就热情地打招呼，真有礼貌。”“毛毛，你今天能按时上床睡觉，妈妈很高兴。”这样的话能使孩子了解自己具体的优点，实实在在的表扬可以增进孩子的自信心。

2. 要表扬孩子每一个微小的进步。

如果孩子在某一件事上有些小小的进步，家长就应该及时地表扬。如果对于每一个微小的进步都给予表扬，孩子就会时时得到进步的动力。当然，也不能拿表扬当饭吃，当孩子的一个好的行为固定下来后就不用再表扬了，而应该关注他的其他方面。

3. 表扬的方式要恰当。

父母常常简单地给孩子物质奖励以示表扬，久而久之，孩子就不以为然了。表扬的方式一定要根据孩子的年龄特点，符合孩子的需要。父母可以根据孩子的反应来判断表扬的方式是否合适，如果孩子表面上对你的表扬不当回事，实际上还是按着你表扬的行为继续做了，那就表明你的表扬方式是恰当的。

4. 表扬要及时。

对进步的表扬要视孩子的年龄而定，年龄小的孩子要在短时间内及时给予表扬和鼓励，年龄大些的孩子表扬时间拖后一些也可以起到作用。总的来说，及时表扬是对一个好的行为的反馈，可以及时巩固这个行为。

5. 充满无条件爱的表扬。

父母不要把爱当作与孩子行为的交换条件，这样会使孩子为了讨好父母，让父母“喜欢”而去做某件事。父母应该让孩子感受到之所以喜欢他的这个行为，是因为这个行为是对的，要让孩子把注意力放到自己的行为上，而不是其他人的评价上。父母要经常无条件地给孩子以关心和爱，使孩子长大后变得不那么敏感、多疑，而是充满自信心。

5

怎样奖励孩子

应该给孩子奖励吗？应该怎样实行奖励？我答应孩子每次考试得了全班前10名就带他去一次游乐场，他第一次去时很开心，后来就没多大兴趣了，学习的劲头也没有以前大。最近一次他考试得了前10名，我买了一套很好的书送给他，他也没有表现得很开心，似乎是不喜欢。到底给他什么样的奖励才合适呢？

一位家长

对孩子的好行为进行适时适当的奖励，可以使孩子感到愉快，从而使孩子愿意重复这样的行为。奖励的形式多种多样。如果孩子表现得好，你立即给予奖励，这个行为就会得到巩固，它能对孩子起到激励作用。例如，当孩子第一声叫出“爸爸、妈妈”时，家长的微笑和热切的动作鼓励了孩子继续这样做，孩子从家长高兴的样子中意识到你喜欢他这么做。总之，在上述情况下，孩子的最初行为都会被产生的结果予以强化。但是，有许多家长不了解给孩子奖励什么东西合适，总是按照自己的意愿，有时给孩子买一大堆礼物，有时又把奖励忘得一干二净。

进行奖励的方法和要点

1. 了解情况。

根据以下提示，对孩子的需求做一个调查。因为孩子的兴趣变化很快，所以每隔一段时间就要重新调查一次。

奖励项目的调查：

（1）如果你希望得到三样东西，它们是什么？

①

②

③

（2）如果你有以下这么多钱，你准备如何使用？

① 5 元

② 10 元

③ 15 元

④ 20 元

⑤ 25 元

⑥ 30 元

⑦ 50 元以上

（3）如果你可以单独和爸爸进行一次活动，你想做什么？

（4）如果你可以单独和妈妈进行一次活动，你想做什么？

（5）你想得到什么额外的优待（比如，多看一次电视、晚点儿上床睡觉……）？

（6）你想和朋友一起做些什么（比如，看电影、踢球、吃冰激凌……）？

通过调查，你就能找出合适的奖励项目，然后可以把这些项目分成两部分，一部分用于奖励孩子每天的进步，另一部分用于奖励孩子每周或每月的进步。例如：

每日的奖品：粘贴画、小食品。

每周的奖品：书、电影。

每月的奖品：玩具、外出游玩。

2. 交替使用不同的奖励方法。

由于孩子对新鲜事物永远充满好奇心，而对旧的东西会很快失去兴趣。因此，经常变换奖励办法可以保持奖品对孩子的吸引力，使家长的奖励更有效。

恰当的奖品可以用来强化你正在培养的孩子的好习性。例如，只要孩子能做到放学后先做完作业再玩，就可以奖励他多玩 30 分钟，这样孩子就会慢慢培养出放学后自觉完成作业的好习惯。当一个好的行为变成习惯固定下来后，再针对下一个行为进行有目标的奖励。

3. 奖励要及时。

年龄越小的孩子，越要及早奖励，否则会使奖励失去效力。孩子对家长的许诺记得最清楚，如果答应了却不兑现，或推迟兑现，都会给孩子树立一个不守信用的坏榜样。不要向孩子许诺你做不到的事情，也不要用其他东西或奖励方式代替你答应的事情。当孩子按要求去做了，就要按照事先说好的条件奖励他，你必须使孩子深信你能履行诺言。

4. 用奖励的方法纠正孩子的不良行为需要耐心和时间。

有许多家长总希望一蹴而就，急于求成，恨不得孩子的表现一夜之间就大有改观；或者经常在孩子刚刚有了一点儿进步时，就失去继续执行奖励办法的耐心，结果必然是半途而废。让我们来看一个成功进行奖励的例子。小宇是个 8 岁的男孩，聪明又顽皮，上课时总是开小差，不能专心听讲，回家后又贪玩，不能按时做作业，显然，他缺乏自我控制的能力。针对小宇的问题，心理医生开始时告诉他只要能做到一回家就做作业，做完作业再玩，爸爸妈妈就给他记上一颗小红星，同时，做完作业越早，玩的时间越长。积累了 3 颗小红星后，给予一个小奖励（比如，吃冰激凌），积累到 6 颗小红星时，给予一个比较大的奖励（比如，去动物园、踢球等），依次类推。当然，如果没有做到，则得不到小红星，也就得不到奖品了。这样做了几周后，小宇的进步非常明显，他已经能够做到约束自己的行为，先去做作业了。接着，心理医生又要求他作业要做得正确率高，又快又准，才能得到奖励。慢慢地，他学会了自己检查作业，也变得不那么粗心，不再像以前那样依赖爸爸检查作业了。与此相配合，家长一开始是每天检查小宇的行为表现并给予及时的表扬和鼓励，随着孩子的成长，各种能力慢慢成熟和巩固，奖励的次数逐渐减少。相应地，老师也从每天汇报延长到每周汇报，最后只是偶尔汇报。父母的奖励也变成偶尔奖励，让他始终意识到父母仍在注意他的行为。这一使用奖励方法的教育过程，可以培养孩子的自制能力、认真细心的习惯、独立性等，可谓一举多得。

使用奖励手段的原则

1. 明确要求。

对孩子的要求尽可能具体并给出得分的标准。不要对孩子说诸如“你应该更有责任心”之类的话，而应该说“早上你先把自己的床收拾干净”这样的话。

2. 及时奖励、每日奖励和长期奖励相结合。

在一开始实行奖励计划时，如果孩子能完成家长的要求，可以给他及时奖励。孩子年龄越小，越需要简单直观的形式来提高他的兴趣。例如，用彩笔绘地图的方式标明奖励情况，当孩子完成了一个要求，就把地图的某一块涂上红颜色，看什么时候能涂满红颜色。还可以采用和其他亲友的孩子比赛的方法，看谁进步快、得分多，以此激发孩子的进取心。

3. 逐步提高对孩子的要求。

既不要急于求成、提出过高的要求，也不要长时间停留在低水平的要求上。如果你要求孩子做到上课能集中注意力认真听讲，那么一开始时，孩子能做到认真听讲 15 分钟，就给予奖励，然后逐步提高要求，比如能认真听讲 20 分钟才给予奖励。每次奖励都要使一个行为持续巩固一段时间，然后再提高要求，这样可以稳步地前进。

4. 定出新的标准后，就不能退回到以前的标准。

孩子有时可能不能一下子适应新的标准，这时不要因孩子可怜巴巴的样子而放弃新的要求，如果第一次不能给予奖励，对孩子说："很遗憾，明天再努力，还有机会得奖。"然后让孩子去做。

5. 逐渐取消每日的奖品。

孩子的新习惯巩固了之后，不再需要每天给予奖励，家长可以这样向孩子解释："今天你做得很好，不用每天都拿到奖励，这些可以积累起来换一份大奖。"然后你可以从两天奖励一次变为三天奖励一次，再到一周奖励一次，最后改为不定期的奖励。

6. 用其他的鼓励方式和表扬代替奖励。

在孩子的新行为巩固下来后，家长可以用其他的方式来取代奖励。例如，当孩子养成了在餐桌上用餐时的良好举止时，对他的鼓励可以采用带他去一家他喜欢的餐厅吃饭，并在餐桌上对他进行表扬的方式。

6

怎样用图表纠正孩子的不良习惯

孩子在学校里表现得好时，老师常给她一朵“小红花”，孩子为此非常高兴，表现得也更出色了。于是，我想在家里也做一个类似学校老师用的图表，记录孩子的小成就，以此来帮助她成长。不过，具体应该怎样做呢？

一位家长

使用奖励、表扬等手段都可以很好地纠正孩子的不良行为。巩固孩子的好习惯，利用图表来简明直观地反映出孩子的进步情况，会使家长的奖励手段更加有效。

图表必须设计得简单、容易看明白才能发挥用处，不能设计成只有成人才能看得懂的复杂流程图或多种行为的坐标图，因为这样做会使父母和孩子的活动复杂化。

最好能让孩子亲自参加图表的制作，自己动手画、剪、贴或设计。可以把图表设计成孩子喜欢的一种图案，如飞机、小动物，然后根据孩子的意思贴在书桌上、床头、墙上等。

使用表格和图表时应注意的原则

1. 不要期望一口吃成个胖子，这样反而会“消化不良”。对问题要逐个解决，逐渐提高标准。小前是个任性的男孩子，特别爱睡懒觉，起床后被子也不叠，动作拖拖拉拉，早饭来不及吃就得去上学。针对这种情况，家长首先要解决他按时起床的问题，如果他能做到早上一听到铃声就起床，家长就在图表上给他记上一分；这个习惯巩固下来后，再增加叠被子这一项，能做到这两项才能得分；以后再增加准时吃早饭一项，在图表上构成“早上的任务”，完成了这个任务才可以得分，用得分换奖品。

2. 表格要容易使用并且一目了然。如果你要记录孩子每天的活动和得分情况，可以把图表设计成表 6–1 的形式：

表 6–1　日活动得分统计表

项目＼星期	一	二	三	四	五	六	日	总分
做作业								
上课听讲								
家　务								

如果是经常出现的行为，使用以小时为单位的表格效果会更好。如表 6–2 所示的表格可用于帮助孩子改掉无理取闹的毛病。孩子的这类行为常常出现，如果他一小时不无理取闹就可以得到一颗小红星，小红星积累到一定数量就可以实施奖励。

表 6–2　以小时为单位的行为监督表

时间	星期一	星期二	星期三	星期四	星期五	星期六	星期日
8:00							
9:00							
10:00							
11:00							
12:00							
13:00							
14:00							
15:00							
16:00							
17:00							
18:00							
19:00							
共计							

有时候，家长想把时间划分为上午、下午和晚上三个阶段，表 6–3 可以帮助孩子按要求约束自己的行为：

表 6-3　分阶段时间表

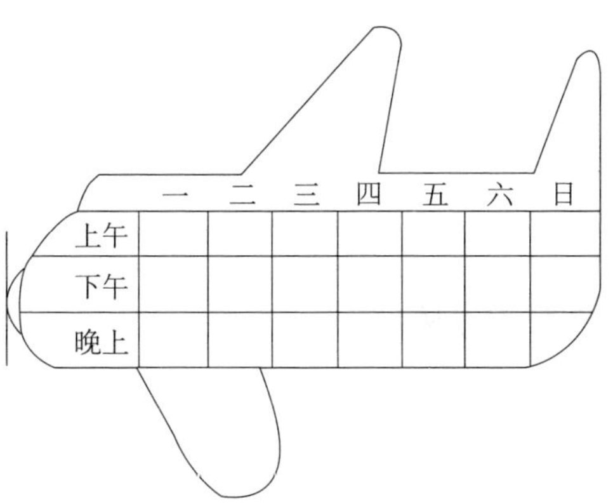

	一	二	三	四	五	六	日
上午							
下午							
晚上							

3. 认真填写表格，不要粗心和放松，每天都要填写。用表扬和鼓励培养和巩固一个新的行为习惯，一旦这个好习惯养成了，就可以逐渐取消奖励，并开始关注下一个目标。

7

怎样处罚犯错的孩子

虽然老话说，“三天不打，上房揭瓦”，但在大多数家庭里，早就舍不得真的动手打孩子了，更何况体罚不一定有效果。但是这让我们这一代的家长更为难了——孩子犯错了该怎么纠正？怎样处罚他，才是对他的成长有利？

一位家长

许多家长都喜欢用惩罚的手段来管教孩子，在传统中国父母的观念里，有着“棒打出孝子”一说，由此导致很多孩子都经常受到父母这样或那样的处罚。但是，单靠处罚并不能收到理想的效果。举例来说，小晓与弟弟小明争抢玩具，被妈妈数落了一顿；小西又因为把洗衣粉倒进了抽水马桶而被关进了小黑屋。他们确实知道了自己的行为不对，但并不明白什么样的行为是好行为，应该怎么做才是正确的。

当然，如果只靠奖励的方法就可以将孩子培养好，那固然理想，问题在于单靠奖励往往不够，培养孩子的好行为需要奖惩并用，才能收到好的效果。奖励和表扬可以从正面告诉孩子应该如何做才是正确的，而处罚则是从反面告诉孩子不能做什么。但处罚也不能任意使用，父母不能因为生气就打骂孩子，我们提倡的是适当地运用合理的处罚手段来管教孩子。

有的父母第一次打孩子时，孩子哭了，此后维持了一段时间的好表现。以后遇到孩子做错事再使用“打”的处罚手段时，就会发现虽然越打越厉害，却越来越没有效果，孩子甚至满不在乎地说“不疼”。原因是孩子对打骂已产生了适应性。因此，我们不赞成把打孩子当作处罚孩子的手段之一。

当我们不得不用处罚的手段教育孩子时，如何使用这一手段才是合适的呢？

处罚的方法和原则

1. 要选择有效的处罚方式。

能够使孩子的不良行为减少的处罚手段才是有效的。有的老师喜欢把孩子叫到办公室罚站，以对付孩子不爱做作业的坏习惯，但这一处罚方法往往适得其反，孩子在老师办公室里乐得不做作业，可以说这种做法不是削弱而是强化了孩子的坏习惯，而一种处罚手段如果没有使坏习惯减少或中止，那就没有起到真正的处罚作用，也就不能再使用这种手段去对付孩子相应的坏习惯。“我真拿他没办法！”“我都快气死了！”等都是家长们的口头禅，这反映了家长的处罚手段单调，不懂得实际运用的方法。所以，家长一定要注意观察处罚的效果，如果不良行为因施惩而减少，说明孩子确实受到了惩罚，反之，则应试试其他方法。

2. 不要轻易使用处罚。

有的家长动不动就打孩子，时间长了，孩子便不把被打当回事儿了，再打也没用了。因此，任何处罚手段，即使是有效的，也不能太频繁地使用，否则，当你真正需要的时候，反倒无法收到理想的效果了。

3. 奖惩并用。

在从反面教育孩子的同时，也要从正面鼓励孩子。处罚本身并不能让孩子知道应该怎么做，要想让孩子知道正确的做法，必须耐心详细地告诉孩子正确行为的方法，一旦孩子做到了，就给予表扬和奖励。例如，你处罚孩子在街上乱跑的行为同时，也要教会孩子过马路时先要看看两边是不是有过往的汽车。当孩子能做到不在马路上乱跑，或看清楚没车再过马路时，就应该表扬他，这样，先前的处罚就起到了作用。

4. 要及时处罚。

有的家长经常对孩子说：“等你爸爸（妈妈）回来再说。”“等星期天再和你算账。”这种拖延会使处罚失去效用，因为时间一长，孩子在心理上就不能把处罚与做错的事联系起来。行为会受即时性后果的控制，不论这种后果是消极的还是积极的，因此，如果你认为需要处罚孩子，那么越及时越好。

5. 讲清后果。

家长必须让孩子知道你不允许他做哪些事情，如果做了，他将会受到怎样的处罚，把要求和后果都交代清楚。例如，你已经告诉过孩子，如果他再将玩具乱扔，就不许他再玩了。那么当孩子真的又把玩具乱扔时，就一定要说到做到，没收玩具。不能干打雷不下雨，只吓唬孩子，而并不真正实施，或很少实施，这样只会助长孩子的坏习惯。所以，请家长说到就一定要做到。

6. 给孩子改正错误的机会。

不要将孩子“一棍子打死”，说孩子“不可救药了”，“永远也改不了”，等等。这些都会使孩子更气馁，对自己失去信心，再责备他也于事无补。因此，在处罚过后，要给孩子时间和机会去改正错误，如果把处罚时间拖得太长，则会使孩子无法表现他们已经改正了错误。例如，小刚常常放学后贪玩不回家，爸爸关了他一个月的禁闭，不准他出去玩。这个月里，孩子并未有机会表现出他学会了控制自己按时回家，反而常常偷偷跑出去玩，一旦禁闭结束，他就像出笼的小鸟一样，变本加厉地出去玩。所以，正确的处罚方式应该是先让孩子两天不能出去玩，第三天看他的表现。这样，孩子很快就会学会怎么做才能避免处罚了，当孩子能按时回家时，你再表扬和鼓励他好的表现，就能收到预期的效果。

7. 体罚时间要短，要有节制。

在大多数情况下，不要轻易体罚孩子，但是，当孩子在玩电源插座之类的危险东西时，就要立即中止他，并打他的手。对小孩子来说，这种方法比给他讲解有关电的常识要管用得多。

有时孩子听不进去家长所说的话，家长气得恨不得狠狠揍孩子一顿才行。这时，最好紧紧握住孩子的手，不许他乱动。这种方法对有些孩子很有效，小孩子被束缚住不能随便活动时，他会好好听家长的话。

不要在盛怒之下打孩子，否则家长会因冲动失去理智，造成不必要的伤害。例如，重打孩子耳光，可能会造成耳聋；打孩子的脑袋，可能会造成脑震荡等。家长在清醒的时候，可以理智地有节制地打孩子几下，但绝对不要用板子、皮带、棒子之类的东西，而且只能打手或屁股。当然，最好能用其他方法取代体罚。

8

怎样使用“过度纠正”法改正孩子的坏习惯

> 我家孩子对一些东西似乎有着顽固的偏爱。比如，不停摆弄一个玩具，直到弄坏为止；不停地开门关门、玩弄插销等。我越是阻止他，他玩得越起劲，而且不断地转移目标，真让人头疼。怎么帮他纠正这个坏习惯呢？
>
> 一位家长

心理学家内森博士发明了“过度纠正”法来对付孩子的顽固陋习。这一方法的特点在于利用处罚的手段纠正坏习惯的同时，教会孩子好的行为。它不仅适用于纠正一般的坏习惯，而且对严重的神经性习惯和攻击性、伤害性行为也很有效。

不少家长发现孩子在墙上乱画时，常常对孩子大声责骂，甚至打孩子一顿，但收效甚微。有效的方法是让孩子把墙面擦干净，如果他不会擦，可以手把手教他，监督他擦干净为止，然后告诉他其他可以涂画的地方。假如孩子下一次没有记住，又在墙上乱画了，可以再一次重复上述过程。

使用这一方法的关键是让孩子尝到自作自受的苦头，要求他按照你的要求多次重复一个动作，直到他再也不想这样做了为止。一开始纠正时，孩子肯定会反抗、哭闹、大发脾气等，家长不能心软，要坚持到底，必要的时候可以握住孩子的手，强迫他去擦墙，不理会他的反抗或抱怨。在一般情况下，这一方法足以使最调皮的孩子放弃他的坏毛病。

“过度纠正”法对纠正孩子的某些顽固性习惯也有相当好的效果。例如，冰冰是个 5 岁的孩子，他特别好动，对任何东西都想试一试、摸一摸。尤其是对开关之类的东西特别感兴趣，家里的水龙头、电灯开关经常被他弄坏。为了纠正孩子的这一坏习惯，冰冰的父母采用了这样的方法：如果他打开了一个开关，就要求他反复多次检查家里的每一个开关和插头，看看是否关好了。在检查了几遍之后，孩子就开始厌烦了。这时家长仍要求他“再检查一遍，厕所里的灯可能还亮着呢！”，冰冰又检查了一遍后，家长才告诉他今天的任务完成了。这样几天下来，冰冰就对开关完全失去了兴趣。

“过度纠正”法应注意的原则

1. 让孩子自己挽回损失。

例如，孩子把房间弄乱了，把玩具丢得到处都是，应要求他自己整理房间，收拾玩具。

2. 让孩子练习正确的做法。

在纠正孩子错误做法时，别忘了同时教他学习正确的做法，这样才能建立起好的行为习惯。例如，叫孩子回家时他不回来，那么等他回到家时，就让他出去，听到叫他再进来。这样连续做 10 次，可以强化他的正确行为。

3. 要监督孩子的练习过程。

在孩子练习正确的做法时，要监督他的行动，及时纠正和指导。当然，这样做要花费不少时间，但十分有利于孩子建立新的良好习惯，其总投入与产生的效果成正比。

4. 在必要时，手把手地教孩子正确的操作办法。

并不是所有的孩子都会顺从地按照家长的要求去做，如果孩子不肯练习，就要握住他的手强制他去做。有许多家长抱怨："我让他做，可他不听呀，我也拿他没办法！"当孩子意识到家长似乎拿他没办法时，家长唯一的选择就是像操纵机器人那样握住孩子的手去做，不要管他如何哭闹、发脾气或反抗，坚持帮助孩子做完，或直到孩子自己愿意去做了再停止。

5. 及时表扬和奖励。

当孩子已减少调皮破坏行动时，就应及时给予鼓励。鼓励的方式可以是减少重复练习的次数，带他去他喜欢的地方玩一次或拿他爱吃的东西给他，等等，目的是让孩子了解到做正确的行为能得到相应的鼓励和奖品。时间一长，孩子的好表现会越来越多，坏习惯会越来越少。

6. 不要代替孩子去做事。

家长可以教孩子如何操作，但绝不要代替孩子去做。有许多家长一边数落孩子弄乱了屋子，一边自己动手把屋子收拾干净。结果孩子根本听不进家长的斥责，下次依旧我行我素。家长一定要让孩子自己去清扫和整理，坚持对孩子的要求，并且要让他知道，如果表现不佳，会随时增加练习次数。

9

怎样对付任性和无理取闹的孩子

我们家孩子这任性的脾气，真让人头疼。生活中稍有不顺，她就大发脾气，拒绝吃饭，又哭又闹。我们该拿她怎么办？

一位家长

3 ~ 9 岁的孩子，特别容易出现任性和无理取闹的情况，他们常常为一点小事大发脾气、挑剔不满，常有不公平感，经常告状、不讲道理、逆反、不听劝阻……让家长感到特别头疼。

孩子的任性是如何造成的

不可否认，一些孩子的任性是由于家长的不当教育方式造成的。孩子几乎是生下来就会察言观色，看护人最初的无条件妥协是造成孩子任性的起始原因，加之祖父母的溺爱和袒护、夫妻双方对孩子的教育方法不一致甚至相矛盾等一系列原因，使孩子变得越来越“难缠”。

丰富的物质条件让孩子容易挑三拣四，我们经常看到家庭条件差的孩子很懂事；相反，家庭条件优越的孩子却不懂得体谅别人。所以，儿童心理学家提出，应对孩子的物质条件进行适度的剥夺，比如每次只给一件玩具，而不是给孩子一大堆玩具；吃东西时给什么就吃什么，如果孩子不愿吃，就饿他一顿，而不要事事妥协。有些家长以为在小事情上对孩子妥协没什么，其实，习惯往往是从小事培养起来的。

一般孩子的无理取闹都是发生在家长不满足其某种条件的情况下，这时，家长可以采取置之不理的方法。例如，孩子非要在饭前吃零食，有的家长忍受不了孩子的哭闹，妥协了；有的家长给孩子讲一大堆道理，但是孩子根本听不进去。家长这时可以对孩子采取不理不睬的态度，让他尽情地哭，但就是不给他吃零食，过一段时间后，孩子会自己停止哭闹。这样的态度坚持一段时间（一般 3 ～ 6 个月），孩子就会发现无理取闹也不能满足自己的要求，就会改掉这个坏毛病。

近年来，心理学家研究发现，有些孩子的任性和无理取闹是因为情绪发育不健全造成的。有的孩子一生下来就很安静，而另一些孩子则相反，从小就爱哭闹，很难配合家长，他们被称为“难养型儿童”或“问题儿童”。因为情绪是人对外界事物的态度，是大脑对感觉信息处理之后在边缘系统的反应。对于这样的孩子，可以通过心理训练的方式来改善他们的感觉系统，使他们的情绪发展与其他心理素质发展相协调。

10

怎样隔离调皮的孩子

我们家的小朋友在班上是出了名的调皮，有时候老师会因为他总捣乱而让他罚站。这样的确会让他得到一些教训，比以前进步了一些。这样的方法，家长在家庭生活中可以借鉴吗？需要注意什么？

一位家长

东东在小朋友做游戏时总是捣乱，老师让他朝墙站到一边，过一会儿再让他回来，他的表现就好多了。这种做法就是隔离，把调皮的孩子排除在一次活动之外，使他不能成为活动中的一分子，也得不到表扬和奖励。进一步说，如果这样做能使孩子感到因“隔离”而失去了一个好机会，那将更为有效。

实施隔离方法的步骤

1. 选择隔离的地点。

要使隔离产生效果，就应该使孩子感到他被隔离在一个枯燥乏味的地方。例如，一个大房间的角落里，待在床上不准起来活动，一个人待在自己房间里，等等。注意！是一个令人生厌但是安全的地方，而不是一个黑暗可怕的地方，以免造成孩子的其他心理问题。如果地点选择不当，孩子可能会利用隔离环境玩得更起劲，那就达不到隔离的效果了。举例来说，如果孩子特别想看电视，或想出去踢球，那让他待在卧室里，即使卧室里有一大堆玩具，那对他也是一种惩罚。

2. 事先讲清楚隔离的规定。

在使用隔离法之前，先同孩子认真谈一谈，告诉他哪些行为是不对的，如果继续做下去，将受到怎样的隔离，失去怎样的好机会。这么做的时候每次只针对一种不良行为，否则孩子会弄不清是为哪件事而受到处罚，不利于纠正他的不良行为。此外，不能滥用隔离手段，否则会失去效果。

3. 根据孩子的年龄决定隔离时间的长短。

有些家长并不了解将孩子隔离多长时间合适，总是任意行事，时长时短。事实上，隔离时间太短没有效果；时间太长，孩子又会愤愤不平。心理学家研究指出，隔离的时间长短要根据孩子的年龄来决定，可以按 1 岁 1 分钟的原则去做，即对 4 岁孩子的隔离时间是 4 分钟，5 岁孩子是 5 分钟，每增加1 岁就增加1分钟。孩子在无事可做的时候会感到时间很难熬，隔离方法可以使他安静下来，停止继续调皮捣乱，也就起到了处罚的作用。

4. 对不合作的孩子要加重处罚。

当你要隔离调皮孩子的时候，孩子很可能不合作，不肯去隔离地点。这种情况下，为了增加处罚效果，孩子闹一次就增加1分钟的隔离时间，你可以将孩子领到“禁闭室”，同时告诉他“因为你太闹了，要多待1分钟”。你要在旁边监督他，如果孩子不听话，没到时间就跑开，必须把他带回去，让他再多关1分钟“禁闭”。但是这样的方法不要重复使用三次以上，否则没有效果，可采用其他惩罚方法，例如，你可以告诉他，如果他不接受隔离的处罚，在几天内将不能做他最喜欢的活动、玩最喜欢的玩具。而且你说完马上照办。当孩子知道反抗就会受到更多的处罚时，就会有所收敛。不然的话，他会认为家长无计可施而更加肆无忌惮。

5. 利用计时器控制惩罚时间，不让孩子借隔离的机会逃避责任。

家长不要任意决定处罚时间，应采用计时器计算隔离的时间，这样可以避免不适当地拖延隔离时间，对孩子的身心造成不良影响。

隔离一结束，就让孩子去完成隔离前他应该完成的任务，不能隔离结束后就把之前的事忘记了，这样处罚将会失去效用。一旦孩子愿意做好原来的事，应立即给予鼓励，这样会起到事半功倍的作用。

总之，隔离法适用于 2 ～ 12 岁的孩子，对大一些的孩子也可以使用。例如，有的孩子沉迷于看电视而不做作业，可以禁止他看电视一天或几天，然后再恢复，用这样的方法帮助孩子培养自觉性和自制力。

❖ 法 则 七 ❖

帮助孩子调整学习压力，愉快而有效地学习

孩子学习需要压力还是不需要压力？研究表明，完全没有压力的环境也会使人焦虑、压抑、无所事事、缺乏信心和动力，并不是我们想象得那么轻松愉快。而压力过大又会使孩子产生心理上的厌烦和反抗，甚至造成心理、生理上的失调和疾病，违背了我们教育孩子的初衷。孩子的压力主要来自家庭和社会两个环境，家长如果不了解孩子的心理规律，会人为地制造压力，影响孩子的学习成效。

1

错误的教育方法会增加孩子的心理压力

我是一名小学教师，家长对老师有很高的期望和要求，但是，我在工作中也发现不同的家庭有不同的教育方法，对孩子影响也不同。我自己也是一名7岁孩子的家长，当然有时也不自主地会用简单粗暴的方法对待孩子，甚至把自己的不良情绪带回家。家长不正确的教育方法会对孩子有什么影响，应怎样注意克服呢？

一位小学老师

过去常说“一张白纸可以画最新最美的图画”，其实，孩子生下来之后的心理状况也如一张白纸，家长的心理素质、教养方式等因素在很大程度上决定了孩子的心理发展方向。有些家长带孩子来咨询时总是诉说孩子这不好那不好，殊不知许多问题都是由于家长的病态心理造成的。

家长的心理问题对孩子造成的影响

第一，好胜心强、虚荣心过高的家长会给孩子提出过高的要求，让孩子的身心承受超负荷的压力，最终导致孩子产生心理障碍甚至疾病。例如，有位家长把一个 7 岁孩子所有的课余时间都安排了各种各样的训练课程，钢琴、绘画、英语、书法、下棋、作文等课程应有尽有，结果孩子由于过于紧张得了精神障碍。还有的孩子在家长的严密监督下仿佛学习考试都是为了家长，平时学习还可以，一到考试就紧张得不得了，失眠、厌食、歇斯底里发作等，有的临近考试竟要放弃。

第二，家长的过分挑剔、完美主义会造成孩子的许多心理障碍。例如，家长对孩子写作业要求甚多，导致孩子每写一笔要反复描，擦了写，写了擦，结果动作拖拉，有时考试都答不完，严重时还会出现强迫症症状。

第三，家长的紧张焦虑情绪会传递给孩子。有的孩子从小体弱多病，家长非常担忧，经常抱怨、烦躁不安、絮絮叨叨，对孩子过分关注，结果孩子变得敏感多疑、自卑、退缩、神经质。

第四，总是否定孩子的家长，容易让孩子失去自信心。家长总希望孩子表现得和自己小时候一样出色，甚至更加出色，稍有一点缺点就大加指责，把打骂当成家常便饭。有个 5 岁的孩子经常发脾气，做事没有常性，问他为什么会这样，他说：“因为做事老做不好，挨妈妈说，一天要说三次，没有表扬，所以想发脾气。”

孩子的成长过程中总会出现这样那样的问题，家长要容忍孩子有缺点，耐心等待孩子成长。当发现孩子的问题时，先反省自己的问题，放松一点，把自己的问题解决了，孩子的问题也会迎刃而解。自己解决不了，可以找心理医生帮助分析和矫正。

2

孩子不爱上学怎么办

有一些家长咨询时表示，孩子最近找个借口就不愿意上学了，愿意在家待着。有的是因为上学期期末考试成绩不理想，开学后害怕学习和考试；有的是被老师严厉批评过，怕同学笑话，也不愿意进教室了；有的是贪玩，就想在家玩游戏、看电视，而不愿意上学；也有的是和同学的人际关系处理不好，上学就不高兴，很压抑，不愿意见同学。家长该怎么帮助孩子心甘情愿地去学校学习呢？

家长应从以下几个方面来调整孩子的心理状态：

注意分析孩子的学习能力是否发展不足

学习成绩是次要的，当孩子出现考试成绩不理想时，要注意帮助孩子分析在学习能力的发展上有没有不足。学习能力表现在计算、阅读、书写等技能，以及注意力、动作速度、认真程度等方面，有些孩子经常抄错数字，读书时多字、少字、串行，写字偏旁部首颠倒，看书时眼睛发酸，不爱写作业等，这时家长就要注意孩子是否存在学习能力发展不足的问题。另外，和学习能力密切相关的问题包括上课注意力不集中、爱做小动作、走神，写作业拖拉、边写边玩，自觉性差、粗心大意、情绪不稳定等。如果发现孩子有这样的问题，不要以为孩子是学习态度有问题而惩罚孩子，应该找心理医生咨询，采取科学的矫正方法。孩子善于学习了，成绩上去了，他们才喜欢去上学。

注意培养孩子良好的学习习惯，激发和保护孩子的学习动机

孩子的学习动机非常重要，但如果孩子经常受到讽刺、否定和挫折，孩子的自信心就会逐渐消失，对学习的兴趣就会减少，逐渐产生厌学情绪。所有的孩子天生都是爱学习的，家长要多引导，孩子遇到困难时要多予以鼓励，不要打骂，也不要包办代替，尤其老师的肯定特别重要。有的家长喜欢陪读，孩子就有很大的依赖性，没有家长盯着就不会学。有的家长喜欢给孩子检查作业，并告诉错误所在，孩子到了考试没人检查时就会丢三落四。有的家长喜欢替孩子削铅笔、整理书包等，更不让孩子做家务，孩子不会珍惜家长的劳动，生活能力很差，

在学校经常丢东西。如果孩子对自己的生活没有控制力，家长照顾得再好，他们也会厌倦的。

注意训练孩子的协调性

身体运动协调能力的训练对学习能力发展至关重要。家长都比较重视孩子的“学”，却忽略了孩子的“玩”。有的孩子会弹钢琴、绘画，但不会跳绳；有的孩子爱看书，但体育差。殊不知，孩子身体运动协调能力的发展与注意力、动作速度、推理能力和抽象思维能力等关系密切。例如，有的孩子婴儿期缺乏爬行训练，长大后也没有及时训练运动协调能力和动手能力，上学后就出现写作业磨蹭、自觉性很差，推理测验成绩不佳，学习成绩不稳定等问题，在三年级时成绩开始下降，之后对学习产生厌烦情绪，对学习没有兴趣。其实，只要让孩子在运动方面、劳动方面“玩”够了，他们自然就想学习了。

注意培育孩子健康的情绪和性格

有的孩子智商很高，学习成绩也很好，但性格有些内向孤僻、胆小、不合群、任性、退缩、自卑等，家长觉得孩子老实、不惹事，挺乖的，但这样的性格将来很难适应现代化生活的需要，不会和别人交往，不会处理矛盾，不敢面对竞争，严重的还会出现心理疾病。造成孩子心理问题的关键在早期，治疗和调整的最佳时期也在早期。一个人的性格要到 25 岁才定型，因此早期的培育非常重要。

如果孩子出现了心理问题的苗头，要及时寻求心理医生的帮助

有的家长在孩子上幼儿园时就发现他坐不住、多动、平衡能力差、自觉性差、语言能力发育迟缓、存在学习能力障碍、情绪不稳定等问题，但家长总以为孩子小，淘气是正常的，长大就好了，结果上了小学后，才发现孩子的许多行为都不适应学校的要求，惩罚、打骂孩子也不奏效。其实，家长应及早咨询心理医生，做一些必要的心理检查和有针对性的心理矫治。

3

孩子因压力出现失眠、头晕等症状怎么办

我的孩子小凯学习成绩很好，但是性格内向、敏感、不自信、爱紧张，每次考试前必定睡不着觉，所以，考试成绩总是不如平时成绩好。睡眠成了他最头疼的事，只要睡觉不好，他的情绪就特别糟糕，因为按他的平时成绩，考重点大学是没问题的，但是，一失眠分数就会差很多，他为自己的紧张感到更加紧张。

一位家长

有的同学是考试前一天，甚至整个考试期间都容易出现严重的失眠；有的是进入一个新的环境或面临挑战时总感觉压力大，睡不好觉；有的越到晚上越不困，躺在床上翻来覆去，胡思乱想，为白天已经发生过的事或明天还未发生的事思虑，提前焦虑。失眠时总希望自己能赶快睡着，用了许多方法，结

果越着急越睡不着，第二天昏昏沉沉的，头上像顶着个沉重的盖子，情绪也不高，很容易烦躁，注意力、记忆力都受到了影响。

造成失眠的原因有哪些呢?

（1）遗传了敏感的神经类型。

（2）性格内向、敏感、多疑、紧张、完美主义、对自己的身体过分关注。

（3）对睡眠过分在意，每每的在意都是在唤醒，越是心里放不下就越精神。

（4）运动量不足，身体肌肉不疲劳，还不需要睡眠，大脑活动太多，过度兴奋，难以很快放松下来进入睡眠，但自己不明白这个规律。

（5）为失眠而焦虑反而导致失眠。

失眠的核心症状是：心里不能放下担心焦虑的事，思虑紧张过度，难以入睡，或容易惊醒、早醒，并为此特别痛苦、烦躁、头疼、注意力不集中、记忆力下降、学习效率降低。失眠者最害怕的事情是睡眠不足影响第二天的学习。而他们采取的错误做法是把睡眠当作重要任务，放在首位，想尽办法让自己睡觉，为失眠而焦虑紧张，然后形成恶性循环。

战胜失眠的心理处方

其实并不存在真的失眠，很多人只是有失眠恐怖症。睡眠像心跳、眨眼一样，是自然规律，无须人为控制，相反，越是试图去控制睡眠，就越容易失眠，因为任何一种控制都是唤醒，所以，越说“快睡吧，别想了”，就越睡不着。控制会造成紧张，进而引起失眠，紧张对大脑就是一种唤醒，这样就形成了一种恶性循环。所以，要放下对失眠的控制，不要在意它。

可以在每天睡觉前做单调、乏味的运动或劳动，例如，游泳、跑步、跳绳、打球、拖地板、洗衣服等，让身体肌肉放松，让思维停止，就更容易入睡。

在睡觉的时候不要催促自己赶紧睡，脑海中翻来覆去琢磨：快睡着吧，要不明天怎么办啊！不要用任何方法来控制睡眠，不妨对自己说：“顺其自然吧，反正我今天也不打算睡觉了！”因为情绪和思维都是不可人为控制的，顺其自然反而能更放松，也许一会儿就自然地睡着了。

如果前一晚没有睡好，在按时起床后，可以先锻炼，因为让大脑休息的最好方式，除了睡眠以外，就是劳动和锻炼，运动会让大脑充氧。锻炼后洗个热水澡，再吃早饭、去上学。白天不要补觉，不要唉声叹气抱怨昨晚没睡好，到晚上自然就会补回来的。该干什么就干什么，因为失去的那几个小时的睡眠，不影响智商也不影响身体健康，只是影响情绪，而情绪会影响学习效果和感觉。

不要把睡眠放在人生首位，不要一直盯着自己的睡眠时间。曾有科学家研究发现：每天睡四个小时和睡七个小时对身体需求而言是一样的，只会影响情绪而已，所以没必要紧张。

可以把注意力指向外界，多活动、多与别人交往，不要只关注自己的睡眠。

4

考前学习法和放松法

做模拟试题

学生在考前一定会做大量的模拟试卷，在做这些卷子的时候要严格控制时间，一切都应像正式考试一样，不要听音乐、看电视、玩电脑、吃东西等，要集中精力去完成。再简单的题，也要按要求去做，不要认为简单的就可以不写。想不起来的题先放一边，先做会做的题，不要在一道题上花过多时间。基础知识题（一般占 60%）要保证全部做对，较难的题（一般占 20%）做对大部分，对很难的题（一般占 20%）做出一小部分就可以了，这样就可以保证总分不低。不要只关注难题，忽略了基础题。如果平时习惯了精神集中地、有节奏感地做卷子，考试时就适应了，不紧张了。

做作业

不要一写作业就是连续的几个小时，建议每写 50 分钟，就锻炼 10 分钟。锻炼可以选择全身协调运动，如跳绳、拍球、打羽毛球、拖地板、扫地、洗衣服等。

背单词

要把看、读、听、写都结合起来，调动各个感官同时工作，这样更容易记住，也更容易回忆。可以对单词进行分类，例如，周一到周日是一组，1 月到 12 月是一组，所有关于吃的是一组，等等，这样记得更多。早晚是记忆的最佳时间。可以把很难记住的单词贴在家里容易看到的地方，反复强化。

作息时间安排

把作息时间逐渐调整到和考试时一样，不要熬夜，要保证睡眠。每天都要有至少 1 小时的运动或劳动的时间。

营养

大脑工作最需要维生素和葡萄糖，要保证这两样物质的充分摄取。不要吃得太油腻，否则不仅胃肠功能吃不消，还容易犯困，影响大脑工作效率。要吃早饭，否则上午 10 点左右会出现低血糖、头晕、无法让注意力集中等情况。考试期间不要吃生冷食品。

放松训练法

1. 尽量使身体处于最舒适的姿势，然后闭上眼睛。

2. 注意你自己的呼吸。

3. 注意你是用鼻子还是用嘴呼吸。

4. 注意你呼吸的节律。

5. 注意你全身的肌群，留意哪些处于紧张状态，哪些处于放松状态。

6. 再次注意你的呼吸，我们马上就要开始调节呼吸了。

7. 现在开始用鼻子吸气，用嘴呼气。

8. 保持现在的方式，试着更深地呼吸。控制你的膈肌，吸气的时候使肚子鼓起来，呼气时让它瘪下去。试着做几次这样的呼吸，你可以把手放在肚子上去体会“腹式呼吸”的过程。

9. 保持这样的呼吸，现在开始，请在吸气的时候心里默默地数：1——2——3——4，憋住，默念 1——2——3——4，然后慢慢地呼气，默念 1——2——3——4——5——6——7——8，如此重复。

10. 当你继续的时候，体会一下你全身的感觉，尤其在呼气时，体会一下慢慢的、有节律的呼吸所带来的放松效果。

睡前肌肉放松法

集中地想以下各个身体部位时吸气—然后放松（呼气）—逐渐沿着头顶向下放松，重复这三条线路，直至睡着。

1. 头顶—枕部—脖子—后背—腰部—臀部—大腿—膝窝—小腿肚—脚后跟

2. 头顶—耳朵—颈部—肩膀—上臂—肘部—小臂—手腕—手掌—手指

3. 头顶—面部—颈部—胸部—腹部—大腿—膝盖—小腿—脚踝—脚面—脚趾

❖ 法 则 八 ❖

孩子的社会交往能力会影响孩子的学习

心理学家研究发现，快乐来源于良好的人际关系，而情绪又会直接影响孩子的学习效果。脾气暴躁、不合群或者胆小、紧张、沮丧的孩子很难安心地学习，他们的很多精力都耗费在与他人的矛盾处理上。情绪就像天气直接影响庄稼收成一样影响着孩子的学习效果。从小培养孩子适应环境的能力、与人和谐交往的能力，对于孩子的学习有很重要的作用。

1

教孩子学会爱自己和爱别人

我的孩子今年12岁，我们工作特别忙，他从小由老人带大，得到的关心和呵护比较多。尽管大家这么爱他，他却只喜欢看电视、玩电脑和照顾他养的一只小狗，对家长从没有关心体谅，经常顶嘴，不高兴就发脾气。他很懒惰，学习都要别人催促，成绩一般，包括个人卫生都要别人监督去做。我们看不出他除了爱玩还能爱什么，很担心他的将来。

一位家长

许多家长也存在同样的困扰，今天我们是不是只抓孩子的学习成绩就足够了呢？是不是我们爱孩子，他们也会同样爱别人呢？显然没这么简单，爱也是需要学习的。

在北京动物园，某著名大学的学生用硫酸泼熊事件曾引起人们的极大震惊：他为什么会这样做？这个学习成绩名列前茅的孩子解释自己的动机时说："我想试试狗熊的嗅觉反应，看它会识别吗？"他根本想不到自己的好奇心是建立在动物的痛苦之上的，而且对这种痛苦很漠然，当狗熊痛苦地嚎叫时，他还冷漠地看了一分钟后才走开，并且事后对警察说自己有种满足感。

有位家长为自己孩子的成长设计了十分完美而严格的蓝图：从三岁就开始学习中国古典文学、英语、音乐、绘画等，还有许多待人接物的礼节，只有知识性的电视节目才能看，这些学习任务让孩子很少有时间出去玩。尽管孩子学习成绩很好，但是在班上没有朋友，谁也不选她作班干部，因为她不会和其他同学一起玩，为此这个孩子非常痛苦。

有位著名的数学家在和邻里的相处中，轮到他家值日打扫公共卫生时，他就在外面挂个牌子："不准乱扔东西！"如果轮到别人家值日，别人没挂牌子，他就把垃圾扔在门口。他认为：因为我明确提示你了，所以你不能乱扔，没人扔垃圾，地就不脏，我就可以不扫；而你没有说，又是你家值日，所以我可以扔，你也应该扫。这种逻辑看似很严谨、科学，但是没有道德心，缺少人情味。

我们今天在教育孩子的众多课程中缺少了重要的一课：爱和责任心的教育。这门课应该包括愿意为别人付出，体谅和考虑他人的需要，不能妨碍他人的权利，更不要造成他人的痛苦；帮助别人，欣赏别人，会表达自己对他人的爱，了解自己应该为他人做什么，了解自己的生活目标是使他人幸福的同时给自己带来价值（包括精神的和物质的），了解他人的需要、家庭的需要和国家的需要，并以此指导自己该怎么做。

教育理念的碰撞

1. 是不是只有学习好的孩子才有出息呢?

许多家长和老师都喜欢学习好的孩子，经常会听到家长们夸耀：谁的孩子考上什么名牌大学；谁在学校学习可好了，都不用家长操心，令他人万分羡慕。学习优秀的孩子往往可以得到老师和家长无条件的重视和表扬：当选“三好学生”，参加夏令营，不用做任何家务，违反纪律也没关系，被当作同龄人的榜样，成为家里和班级里的中心。但是现在已经有老师发现一些名列前茅的好孩子并没有他们想象得那么“成功”，倒是排在10名以外的孩子做出成绩的更多一些。也有许多用人单位发现，一些只会“死读书”的学生在实际生活中不会交往、不会工作、不会生活、不会解决实际问题，无法学以致用。

2. 是不是学习时间越多越好呢?

有的家长和老师认为孩子把时间都用在学习上才是正确的，学习成绩至上，如何与人交往、怎样关心和帮助他人都不重要。为了保证孩子的学习时间，家长在生活各方面完全包办代替。其实，生活的能力不是从书本中学习来的，而是从生活中体验来的。例如做家务劳动就可以培养孩子的动手能力、责任心和自信心，孩子通过劳动才会体谅家长的不容易。在生活中尝受过挫折和痛苦的人才会体会别人的痛苦。如果让那个用硫酸泼熊的大学生花一段时间打扫动物园和护理受伤的动物，他一定能够深刻理解爱护动物的道理，获得同理心。许多名牌大学里的优秀学生们，因为从来都是被纵容而很少被约束，生活中以自我为中心惯了，对自己违法和不道德的行为就缺乏应有的意识和自律，就没有机会学习如何约束自己、遵守公共道德。

3. 是不是对孩子越严厉越好呢?

家长总觉得如果对孩子管得不严，孩子就会学坏。其实，孩子是否做坏事取决于他的价值观，如果家长总是对孩子讲大道理或给他现成答案，并且替孩子做决定，孩子就没有机会形成自己的价值观念，缺乏自制力，只能受他人管制，那么一旦有机会他就会做出格的事，因为他自己并不知道哪些事情该做、哪些不该做，而家长又不能永远跟在孩子身边。所以，家长管得越严，孩子越是幼稚。

4. 是不是越是性格内向、乖巧、老实的孩子越好呢?

很多老师和家长都喜欢这样表面乖巧、很少惹事的孩子，因为他们好管理，其实性格内向的孩子容易有孤僻、敏感、固执、心胸狭隘、虚荣心强等特点，这些会严重影响他们与他人的沟通，别人缺乏机会发现他们存在的问题来帮助他们，他们也没有机会来锻炼自己的社会适应能力。这样的孩子比性格外向的孩子更容易出现心理问题。

5. 是不是穷人家不应过早地让孩子吃苦?

过去说“穷人的孩子早当家”，但现在的父母宁可自己受苦，也不愿意让孩子受委屈，有些父母都下岗的孩子吃穿都是最好的。有个孩子的母亲身患癌症，父亲工资也不高，孩子经常跟着母亲捡废品卖钱以补贴家用，学习还特别好。可是后来爷爷奶奶受不了了，把孩子接过去，给了孩子更好的生活条件，孩子却很快就学会了讲究吃穿，并且开始变得贪玩、厌恶学习。所以，让孩子吃一些苦不一定是坏事，反而可以培养孩子的心性，对学习也很有益。

6. 在教育孩子的过程中，只要有一方家长管理就够了吗?

有的家长（尤其是父亲）自己忙于工作，把教育孩子的责任推到爱人一个人身上，这是有缺陷的教育。父母的行为是孩子的榜样，父母对孩子的关爱对孩子的身心成长至关重要。据研究，父母离婚后儿子跟父亲、女儿跟母亲一起成长比孩子跟异性家长一起成长对孩子更好一些。比如，对于男孩来说，成长中应该更多地模仿父亲的行为，而父亲对孩子的关爱体现了父亲的责任心，如果父亲不关爱孩子、不与孩子一起生活，孩子就会产生情感和性格障碍，学习不到责任心。

7. 父母离婚时的争吵要不要让孩子参与?

家长的委屈无处倾诉时就对孩子讲述对方的种种不好，说“你爸爸（妈妈）不要我们了”。父母这么做，会让孩子一是困惑，二是仇恨，三是感到被抛弃，孩子压抑的愤怒无处宣泄时就可能会虐待动物，越是内向软弱的人越会欺负更弱的人或物，因为他在现实生活中无法表达自己的真实情感。

在生活中很多看似理所应当的事实际上并不符合孩子心理发展的科学规律，家长都希望把自己的孩子培养好，那就要注意不能误入歧途，否则的话，没让孩子得到幸福，反而让孩子更加痛苦。

2

鼓励和培养孩子的独立意识和能力

我的孩子上小学二年级，胆子比较小，她从小身体不好，我们对她照顾得比较多，当然限制也比较多，很少带她出去玩，怕她着凉生病。上学以后发现她不会和同学交朋友，内向、孤僻、不喜欢和别人玩，做什么事都不主动，而且对什么事都没太大的兴趣。最近每到星期一就不愿意去上学，不愿意起床，找各种借口不去上学，这么小的年纪就要逃学了，我们该怎么办啊？

一位焦虑的母亲

哪个家长都不愿意自己的孩子在外面受欺负，但是，家长不能总跟着孩子保护他们，因此，培养孩子的独立意识和能力特别重要。

孩子离开母体之后最终是要作为独立的个体在社会中生存

的，而这个独立的过程不是一蹴而就的，而是逐渐地、一步步地形成的，这不仅发生在生理上，也发生在心理上。如果我们发现，孩子到了 5 岁还要别人喂饭、到了 13 岁还不会做任何家务、到了 28 岁还不愿意走出家门进入社会等，做家长的能不为孩子缺乏独立生活能力而焦急吗？为了孩子将来能顺利地独立生活，家长要从孩子还小的时候就开始，在不同阶段有意识地培养孩子的独立意识和独立能力，这些是孩子快乐学习的源泉。

培养孩子独立意识的方法

对于刚出生几天的孩子，我们就可以锻炼他俯卧床上自己抬头；两三个月的时候，我们可以把孩子经常竖抱起来，让他自己观察周围的世界，让他抓握、把弄玩具；七八个月时，一定要允许他自由自在地爬行，不要把他限制在学步车里或妈妈的怀抱里，否则会影响孩子将来的学习注意力和动作速度；一岁时开始允许他自己吃饭；两三岁时开始训练他自己穿、脱衣服；五岁时开始鼓励孩子参与家务劳动；七八岁时训练孩子独立完成作业，到九岁时孩子会要求自己安静地写作业，家长不要干预，这都是正常的表现；到了青春期，孩子的独立要求就更多了。家长要根据孩子身心发展的规律，逐渐调整自己的教育方法，不能用一成不变的、简单粗暴的方式来管理孩子。

面对孩子要求独立甚至反叛的行为，家长肯定不适应，如果遇到问题没有及时干预，又怕孩子走弯路。所以，家长在理解、尊重孩子独立意识的同时，要学会和孩子交朋友，要让孩子愿意和你说心里话，这样家长才能及时了解孩子的心理动向。例如，孩子回家后对家长说："我们班某个同学挺好的，我挺喜欢他的！"家长很容易说孩子："千万别早恋啊！"孩子就容易产生逆反心理，而且以后有心里话也不愿再对家长说了，因为家长并没有像朋友那样站在孩子的角度去理解他的想法。如果家长的反应是："是吗？他怎么好呢？说说看！"孩子就愿意说下去。一些中学生曾经对我说："其实如果没人反对，我们的好感也就维持一周，但是，如果有人非不让你去做，我们就可能偏要那么做了。"

在培养孩子独立解决问题的能力时，家长不要给孩子现成答案，把自己的价值观强加给孩子，尤其在培养孩子的交往能力方面，要让孩子在交往中学会交往。有一位家长是这样教育孩子的：正在上幼儿园的孩子回家说小朋友打他了，妈妈没有给他任何现成答案，而是问他："那怎么办啊？"孩子说："我也想打他！""那你打去吧！"结果第二天孩子回来说："妈妈，我打不过他！"妈妈又问："那怎么办啊？"孩子说："那我告诉老师吧！""行，你去告诉老师。"孩子第三天回来说："妈妈，老师不管啊！"家长还是问："那可怎么办啊？"孩子说："那我就跑吧！""好！"这样，孩子用自己的方法学会了怎么处理人际关系矛盾，在合适的时候用合适的方法。也是这个孩子，上小学后和同学交往得非常快乐。

另外，家长还可以带孩子去做公益事业、慈善事业，通过帮助别人来学会交往。利用假期带孩子外出旅行，不仅长见识，还可以结交旅途中的朋友，尤其是贫困地区淳朴、好学的孩子，这样的旅行对孩子的心理成长大有帮助。

3

孩子内向、敏感的性格要及早调整

一位25岁的著名大学硕士毕业生，被招聘到一家大型企业工作，一开始很受领导的重视。虽然他成绩很好，但是他性格内向、敏感、多疑、自卑，心胸狭隘，患得患失，追求完美，工作已经一年了，却和同事交往甚少。在工作中遇到挫折时，他不会主动与别人沟通或寻求他人帮助，最近领导发现他总是不能按要求完成任务，寡言少语，心事重重，无精打采，问他原因他也不愿意说，最后只能请他的父母带他回老家休息。

心理学家研究表明，良好的性格是获得成功的前提。曾有心理学家对1 500名天才儿童进行了30年的追踪研究，发现这些儿童并不是都能有所成就，有20%的儿童在幼儿期智商很高，但成年以后没有什么成就。与那些成功者相比，其差距不在智力方面，而在非智力因素的个性品质上，例如，缺乏上进心、主动性、自觉性、勇气、毅力等。所以，意志和性格是成才的重要因素。但是，有些家长更重视对孩子身体素质和智能的培养，给孩子提供了充足的物质条件和学习条件，却忽略了对孩子良好性格的培养，也不了解培养哪些个性品质对孩子的成功至关重要。不少孩子身上已经表现出懒惰、自觉性差、依赖性强、对什么都不感兴趣、意志薄弱等性格特征，尽管他们很聪明，但学习效果并不好。那么，家长应当培养孩子哪些优良性格呢？

对孩子至关重要的个性和品格

1. 求知的兴趣。即有稳定的注意力，对学习知识有浓厚的兴趣，有坚持到底的毅力和恒心。

2. 愉快的情绪和活泼的性格。主要表现在六个方面：

（1）表情活泼，即面部表情丰富生动，说话有时伴有手势。

（2）语言活泼，即口齿清楚，喜欢对人说话、讲故事、讲见闻、背诗、唱歌、表演等。

（3）动作活泼，即喜欢参加运动和文娱活动，爱做游戏。

（4）感知活泼，即善于观察事物，记忆力好，善于模仿。

（5）思维活泼，即好奇心强，喜欢探索新事物，喜欢认字和读书，爱提问。

（6）双手活泼，即爱劳动，喜欢动手操作。

3. 友爱、合作和同情心。善于和别人相处，愿意和别人分享玩具和食物，关心别人，助人为乐。

4. 独立性。能够独自睡觉、吃饭、玩耍、穿脱衣服、洗手、洗脸、收拾玩具等，不依赖家长，会和别人交朋友。

对照以上标准，我们不难发现，有些家长在许多方面做得很不够，例如，孩子对某种活动很感兴趣，但家长却觉得浪费时间，嫌天气热，生怕累着孩子，等等。这样怎能培养出孩子的毅力和恒心呢？有些家长怕孩子出危险，或者忙于自己的工作，很少让孩子外出，孩子就没有机会观察大自然，增长见识。有些家长不让孩子劳动，孩子因此变得懒惰、笨拙，独立生活能力差。还有些家长事事以孩子为中心，造成孩子自私，没有友爱之心。要培养孩子的良好性格，家长首先要从自己做起，要从微小的事情做起，如果你不知从哪儿入手，可以向心理医生咨询。

如果家长发现孩子性格比较内向、孤僻、不合群，要及时予以训练和调整。首先，协调性的体育运动会让孩子增加自信心，例如，登山、打球、跳绳、踢毽、拍球等，团体的、对抗性运动还能增强孩子的主动性。触觉学习运动可以稳定孩子的情绪、增加孩子的胆量，例如游泳、橄榄球、垫上运动等。另外，家务劳动能提高孩子的动手能力和解决问题的能力，一般能干的孩子也擅长交往，善于适应不同的环境。

4

怎样让孩子愿意和家长沟通

我的孩子13岁了，以前是很乖的孩子，但是上中学后性格变了很多，特别不听大人的话，尤其反感他爸爸给他讲道理，什么事情也不愿意对我们说了，和同学聊天多长时间都不烦，和我们一说话就烦。我们很希望了解他心里是怎么想的，问他他也不说，我们不放心，忍不住又要提醒他这样那样的事情，结果我们的关系越来越僵，我们都不知道该如何和孩子沟通了！

一位家长

家长也许在孩子幼年时经常觉得他们吵闹，惹人烦，当孩子进入青春期后，却发觉他们和自己越来越疏远，尤其是看到孩子身上出现问题，想和孩子沟通时，孩子常有抵触心理。怎样才能使孩子愿意和家长谈心里话呢？

与孩子谈话的注意事项

首先，家长要学会从孩子的身体语言中读出孩子的内心世界。婴儿期的孩子常常用哭来表达自己的需要，父母也很善于体察孩子的身体语言。当孩子学会说话后，仍然会时常用动作、表情等来表达自己的态度和想法，父母要注意孩子的这类行为表现。

举例来说，小西在幼儿园的表现挺好，可一回家就老是发脾气、摔东西、毁坏玩具。家长当然不高兴，总是批评他，不仅没效果，情况反而更糟。经过一番观察和分析才找出原因：原来家长比较喜欢小西的哥哥小东，因为小东比较文静听话，不像小西那样活泼好动。在幼儿园，老师一视同仁，回家却遭到区别对待，小西也很渴望得到爸爸妈妈的爱，因此，总是想做出点“惊天动地”的事来引起他们的注意，可是父母不明白这里面的原委。当家长在心理医生的帮助下改变了态度后，小西的行为就有了很大改观。

小丽在幼儿园不爱和小朋友玩，总是咬着自己的手指头在一边看。老师和家长很着急，问她为什么不和小朋友一起玩，她也不说话。其实，小丽在家很活泼，但因为家长过于宠爱，造成孩子很任性。到了幼儿园，大家都是“小皇帝”，各不相让，小丽不能随心所欲时就容易孤僻、退缩，咬手指头只是这种心情的外在表现而已。

家长通过观察孩子的身体语言，从孩子的角度了解了孩子的内心世界，就可以对症下药，采取相应的措施了。

其次，教孩子讲出自己的感受而不是闷在心里。我们经常会发现孩子因做不好一件事而乱发脾气，把玩具扔得满地都是，遇此情形，家长往往会训斥孩子，责怪他把玩具满地乱丢。然而，如果家长再深究一下原因就会发现，孩子乱丢玩具可能是因为他没有搭好积木，屡屡失败使孩子非常气恼，借扔玩具发泄这种气恼情绪。明白了这一层原因，家长就应教会孩子另外表达失望情绪的方式，对于 12 岁以前的儿童，最好的方法是帮助他们表达自己的情绪。

家长首先要告诉孩子，自己了解他的心情，然后鼓励孩子告诉父母为什么没弄好，心里是怎么想的，需要什么帮助。同时要告诉孩子乱丢玩具将受到什么样的处罚，例如两天之内不准玩等。家长要引导孩子养成一个好习惯：将不好的情绪用语言表达出来，而不是通过不良行为发泄出来。

由于孩子语言能力较弱，不能充分准确地表达自己的情绪，这时家长可以用“感情树”的方法帮助孩子解决这一问题。在一张大纸上画一棵有许多树枝的树，在每一根树枝上画上不同表情的小人头，和孩子一起想出表示情绪的词，写在相应的小人头旁边。当孩子不知道怎样表达自己的感受时，就用这张画来提示他，引导他学会使用准确的词表达自己的情感。当孩子学会用某个新词表达情感时，要及时表扬他，强化他的好行为。

最后，家长要留出专门的时间倾听孩子说话。很多父母抱怨十几岁的孩子不爱和父母交流，这是因为从孩子小的时候父母就没有注意听孩子说话、不给孩子说话的机会，久而久之，与孩子之间通过谈话达成沟通当然会变得很困难。因此，家长必须留出专门时间注意倾听孩子讲述他自己的故事，发表自己的各种看法，不要简单粗暴地禁止、打断，不关心孩子的心声。

与孩子进行充分沟通的方法

1. 经常和孩子谈话。

家长每天都要注意给孩子留出一定的交谈时间，例如吃饭时、睡觉前，即使是几分钟，效果也非常好。

2. 约定谈话时间。

当孩子有想法想与家长交谈时，家长不妨放下手头的工作倾听，或者约定时间过后再聊。总之，要使孩子意识到家长对他的事很重视，年龄越小的孩子，家长越要及时谈，不要拖延太久，更不要不守信用。

3. 认真倾听。

不要选择一个嘈杂烦乱的场合和孩子谈话，要找一个无人打扰的地方坐下来专心听孩子说话，让孩子意识到家长的关注和耐心，并且要像对待朋友那样对孩子说话。

4. 家长主动与孩子谈话。

孩子在外面有了不愉快的事，往往难以开口和家长谈起，很容易使家长错过教育孩子的机会。因此，家长应主动和孩子谈话：“告诉我今天在学校发生了什么事，好吗？”“你今天好像挺不高兴的，为什么呀？”这样的主动谈话可以使孩子打消顾虑，愿意开口说话。如果孩子不愿意马上谈，也不要逼迫，退一步告诉孩子：“好吧，什么时候告诉我都行。”让孩子知道你什么时候都可以听他谈。

对于比较内向的孩子，需要更长时间的启发，可以给他讲一个类似情况的故事，引起孩子的共鸣；也可以搂着他静静地坐着，他最终会忍不住和父母交流的。

5. 保持谈话的连贯。

家长们往往在孩子刚刚说出自己的烦恼时，就非常急迫地给孩子出主意、想办法，或是讲一堆大道理，引起孩子的反感，下次他就不愿再对父母讲自己的事了。因此，父母在此时的首要任务是倾听，并鼓励孩子说下去，你可以用这样的问话来引导孩子说下去：“后来呢？”“他怎么说？”“你一定非常生气吧？”此外，重复孩子的最后一句话也可以有同样的作用。

注意，千万不要仔细询问孩子细节，让孩子觉得像是在受审。家长需要了解的是孩子的感情世界，成为孩子的朋友，不要总是把自己摆在“家长”的位置上，让孩子向自己汇报。试想，两个人之间的关系不平等，如何互相交流思想呢？

6. 感谢孩子对自己的信任。

当孩子告诉家长发生了什么事，并且倾诉了自己的烦恼后，家长不要对孩子训斥或嘲笑，首先要夸奖孩子的行为：“谢谢你对我说了这件事。”“感谢你对妈妈的信任，妈妈很高兴你有事愿意和妈妈说。”然后循循善诱，帮助孩子渡过难关。

与孩子进行心灵沟通，就像小河流水，平等的关系才能让思想流动，家长总是站在高处，一味地灌输，孩子当然会抗拒了。民主、平等的态度和沟通技巧是最关键的。

❖ 法 则 九 ❖

发现和发挥孩子的优势，让孩子渴望出类拔萃

心理学家研究发现，每个人心中都有一个“水桶”，当它装满水的时候，人就精神焕发、信心百倍，愿意为自己的理想而奋斗；当水桶枯竭的时候，人就会灰心丧气、胸无大志，退缩逃避。这个“水桶”就是心态。积极心态是人成功的必要条件，而鼓励是激发孩子积极心态的重要手段，家长和老师要善于发现和发挥每个孩子的优势，相信每个孩子都有闪光点，都愿意最大限度地发挥自己的潜力。

1

孩子的优势面需要家长和老师的鼓励

我的孩子刚上初中，但是性格很倔强，对老师的一点小错误总是不满、挑剔，甚至公然对抗。如果不喜欢这个老师，上课就不听讲，作业也不好好完成，学习成绩当然一落千丈。对家长的话就更不听了，我们也知道要多鼓励她，但是在我们眼里就怎么也看不出她有什么优点，所以我们对她的鼓励也比较少。她有远大的理想，将来还想做心理医生呢！可就是不努力，缺乏学习动力，我们该怎么帮助她呢？

一位家长

大家都知道服务行业在对待顾客时需要使用服务语言，我们教育孩子时是否也应该注意方式方法呢？每一个有责任心的老师都会对学习落后的孩子有一种“恨铁不成钢”的心情，但是，如果表达这种心情的方式不得法，不但不会起到促进孩子学习的作用，反而会严重伤害孩子的自尊心和自信心。我们在心理咨询中心听到过不少孩子的抱怨：

“别的小朋友都有手拉手的信，就我没有，我可想给希望工程的小朋友写信和寄钱了！可是因为我淘气，老师不让我参加。”

“我有一天生病请假没去上学，第二天上学时，老师就说我不来才好呢！因为我上课纪律不好，所以全班就我多余！”

“我上课时没好好听讲，老师就让我别听了，一个人在操场上跑步。我也想好好听课，可有时就是管不住自己。”

“我的学习成绩不好，拉班上的分，老师几乎天天要请家长，让我去查智商，说再不好好学，就让我转学，可是哪个学校愿意要我呢？”

有的老师在学生的日记本上批道：“写得很差，你真让老师失望，我再也不相信你了！你永远也改不好！”

讽刺和批评并不是最好的激励方法

有些家长看到孩子作文中用词不当或计算粗心大意，就讽刺讥笑孩子，以为这样就可以激励孩子认真学习，其实效果正相反。有些孩子就是因为老师和家长的这种态度，才逐渐失去了对学习的兴趣，因为他们总得不到表扬和鼓励，面对一次又一次挫折，孩子的自尊心、自信心也会大大下降。

有的人可能会责怪孩子：那你为什么不好好听讲？为什么

不遵守纪律？老师罚你是应该的！这样的想法源于家长认为孩子是故意不好好学，学习态度不端正——为什么别的孩子能学好，他就不行？非狠狠地教训不可！其实，这些孩子并不是有意要和老师作对，他们心里也知道着急，但是因为有自身无法克服的学习能力障碍，所以需要老师更多的耐心和启发，有的还需要专门的心理训练来帮助其发展学习能力。心理学家研究发现，每一个孩子并不是一生下来就具备了良好的学习能力，大部分孩子是沿着正常的发展规律成长，而 10% ～ 30%的孩子由于先天和后天的一些原因（例如先兆流产、早产、难产、剖宫产、早期活动不足等），造成了注意力不集中、写作业拖拉、粗心大意、写字偏旁部首颠倒、阅读不畅、记不住生字、学习成绩差等问题。面对这些孩子的问题，老师应该耐心地用科学的方法来训练和矫正孩子的学习障碍，而不是用简单粗暴的语言。

如果你的孩子拿回来的成绩单上写着：语文 100 分，英语 100 分，社会 100 分，数学 0 分，你会最关注哪一门成绩？大部分家长会先关注那个零分。而心理学家建议家长：永远去关注你孩子的优势，激励孩子发挥优势才能助他取得成功。对于孩子的弱点应先接受，然后帮助他们分析、逐步改进，这样孩子才能取得进步。

心理学家研究发现，语言是成人与孩子沟通和教育的重要途径，可以说，家长的语言内容和方式，表达了家长对孩子的态度，影响着孩子的行为和将来的心理发展。

2

有自信心的孩子才能成功

有些家长来咨询：孩子为什么在家胆子很大，到学校却像变了一个人，上课不敢发言，不会和小朋友玩？考试成绩不好，他会说："还有比我更差的呢！"对老师和家长的批评满不在乎。对许多事情不是踊跃参加，而是自认不行，缺乏兴趣和信心。家长不明白孩子这样的退缩行为是怎样形成的，怎样才能使孩子变得有自信心和上进心？

一位家长

心理学家研究发现，早期经历对一个人形成自信还是自卑影响特别大，造成自卑的原因有：

（1）惯常的惩罚、忽视或虐待。

（2）没有达到父母的标准。

（3）没有达到同龄伙伴团体的标准。

（4）成为他人的出气筒。

（5）来自社会对其有偏见的家庭或社会组织。

（6）缺乏夸奖、爱、温暖和兴趣等。

（7）属于家庭中的异类分子。

（8）属于学校中的异类分子。

怎样帮助孩子培养自信心

首先，父母的教养态度对孩子自信心的形成非常关键。家长对孩子持否定的态度容易使孩子产生自卑感，丧失自信心。有的家长对孩子期望过高，要求过严，对孩子的一举一动总是不满意，经常讽刺讥笑孩子，或者对孩子做的事品头论足、说三道四，弄得孩子不知所措，对自己产生怀疑，长大以后，性格变得多疑、敏感、自卑。所以，家长对孩子持肯定的态度很重要，因为孩子是从别人的态度中来认识自我的。

其次，家长对孩子过度照顾和保护，使孩子没有机会去做自己想做的事，也就没有机会去培养自己应对挑战的能力，以致在遇到困难时就感到害怕，不敢面对挑战，不认为自己有能力解决问题，久而久之，对新事物的兴趣和探索精神也逐渐丧失。家长应该鼓励孩子做一些力所能及的事，遇到失败和挫折时，不要批评孩子，也不要包办代替，而要激励孩子再尝试、再实践。自信心就是在孩子自己的实践中形成的，不是别人能给予的现成的东西。

最后，孩子对老师和家长的话满不在乎，缺乏进取心，是因为孩子对别人的评价缺乏敏感性，大脑对外界信息的处理出现障碍，这种情况可以通过敏感性训练来矫正。另外，协调性也会影响孩子的自信心，需要加强孩子动手能力和运动协调性的训练，孩子会干、善于干的事情越多，自信心也就会越强。

3

怎样帮助孩子克服缺点

我的孩子从小没有养成好的学习习惯，惰性大，纪律散漫，东西乱放，丢三落四，对学习不用心，除了玩一些幼稚的东西对什么都没有兴趣，更没有什么目标和理想，最近还出现了说谎和厌学问题！眼看着孩子一天天长大，我们也使用了很多办法来帮助孩子克服缺点，但是都收效甚微，有什么好的建议呢？

一位家长

家长都希望自己的孩子十全十美，恨不得他们一夜之间就长大成人。家长通常很难用客观的眼光去看待孩子身上的优点和缺点，常用别人孩子的优点来对照自己孩子的缺点，当然是越比越生气。即使找到了一些行之有效的教育方法，家长也往往没有耐心坚持到底，常常半途而废，还认为什么方法都没用，就得狠狠打孩子才立竿见影。例如，现在不少孩子参加儿童感觉统合训练来矫治学习能力障碍，但是，许多家长误以为一个疗程就会好，不能长时间坚持，当然也就不能看到疗效了。其实，在孩子成长的不同时期，每个孩子身上都会出现这样那样的问题，家长一定要对孩子充满耐心和希望，而不要把孩子的前途葬送在自己的不耐烦上。

改变孩子不良行为的基本步骤和原则

1. 找准目标。

在着手改变孩子的行为之前，要搞清楚你需要纠正他的哪些不良行为，而不是简单地说孩子“讨厌”“不听话”“烦死了”等。必须客观、理智地分析孩子存在的问题，在一张白纸上划一条竖线，左边写上“多做什么”，右边写上“少做什么”，当孩子能够克服一个缺点了，就把缺点划掉一个。家长要和孩子一起监督这些不良行为的逐渐改变。

2. 各个击破。

定出目标后，要克服急于求成的心理，给孩子机会，让他一点点地改掉坏习惯。例如，孩子可能有注意力不集中、写作业拖拉、粗心大意、胆小、吃手等坏毛病，你不能指望他一下子都改掉，而应一个个地去解决。这可能需要相当长的一段时间，家长要有恒心，在很多情况下，孩子的信心是来自家长的。

3. 注意孩子微小的进步。

有时我们问家长：“孩子有进步吗？”家长说：“没发现有什么进步！”孩子在一边不满地说：“怎么没进步？上课不是不挨老师说了嘛！”家长说：“那老师也没表扬你呀！”孩子的进步特别需要家长的肯定，有心的家长应该用本子记下孩子每一点微小的进步，让孩子也看到自己的进步，他才会更有劲头。

4. 始终如一。

每位家长的态度都要一致，不能有的严，有的松，有的赞成用心理训练的方法来矫治孩子的坏毛病，有的就不赞成。家长也不能一开始很积极，过一段时间就灰心，或者稍一见好就懒得坚持下去，这些都不利于孩子坏习惯的纠正。

5. 以鼓励和表扬为主。

孩子失败的时候要鼓励他，正确的时候要表扬他，让孩子知道你希望他怎么做。与孩子一同制订行动计划，用图表的方式表明你的奖励方法，这样孩子就不至于在你的威胁恐吓下不知所措了。

孩子在成长过程中总是会存在这样那样的不足，要记住：不存在十全十美的孩子。

4

家长的“懒惰”和“依赖”让孩子自理和自立

我和我爱人都是很勤奋努力的人，对孩子的教育抓得也很紧，不让孩子干任何家务活，一切都为孩子着想。我们总以为孩子会体谅我们的用心，但是发现孩子越来越懒惰，好像在为我们学习似的，对未来他也没有什么考虑，好像永远也长不大。我们非常担心，我们怎样才能帮助孩子成为一个独立的、自觉的人？

一位家长

孩子的成长不仅仅是生理发育的过程，更重要的是心理上成熟的过程，这就是人的社会化。在这个过程中，如果家长教育不当，孩子就会出现社会适应不良的情况和各种心理障碍，甚至患上精神疾病。有些家长常常觉得自己的孩子虽然个子挺大，却很幼稚，也很脆弱，但不了解该怎么帮助孩子在心理上成熟。对于孩子的成长，一些家长考虑得比较具体，例如，孩子是否能考上大学？能否找到好工作、好对象？孩子是否有良好的经济环境？如果这些主要问题解决了，家长就觉得孩子可以自立了。其实，这些是远远不够的。孩子能否真正在社会上立足，不仅需要这些形式上的独立，更重要的是需要心理上成熟，能适应社会的变化。例如，孩子有独立思考的能力，而不是依赖别人的判断；孩子有稳定的情绪来应付紧张压力，而不是神经脆弱，经不起一点挫折；孩子有亲和的性格，善于和别人合作，而不是胆小退缩、内向孤僻；孩子有正确的价值观，而不是漠视社会道德和规范，等等。明白了这些，家长就应该了解不仅要给孩子创造良好的物质环境，更应该培养孩子良好的心理品质。但是，有些家长不清楚应该从何处入手来帮助孩子实现心理上的自立。

培养孩子的品格和能力十分重要

有一位大学教师，从小对儿子管教得非常严，孩子做的任何小事，家长都要管，犯一点错就打孩子，还经常给孩子灌输大道理，她以为这样严加管教，一定会培养出品格出众的孩子。事与愿违，孩子虽然如愿考上了大学，但第二年就因为小偷小摸被勒令退学。问他为什么家里有的东西也要偷，他说：“我也不明白，就是觉得挺刺激的。”问他是否觉得做得不对，他说：“不知道。”这个孩子在家长的严格管教下，没有形成自己正确的价值观和自制能力。家长总是替孩子思考，孩子自己就不会思考；家长把孩子管得太严，孩子就缺乏自己管理自己的机会和能力；家长总给孩子现成的是非判断，孩子就无法形成自己的价值观。

还有一位家长从小对孩子的学习抓得很紧，孩子除了上学就是在家写作业，不出去和别人玩，几乎没有什么爱好。因为他学习成绩好、纪律好，还被评为“三好学生”。但大学毕业工作后，他性格内向孤僻的问题就逐渐暴露出来了，虽然工作可以胜任，但人际关系不能适应，不和别人交往，自卑、敏感、多疑，总觉得别人在背后议论他，最后发展成幻觉而被送到精神病院。所以，孩子的社会交往能力和学习能力同样重要。

有些孩子尽管学习成绩很好，但在性格上存在许多问题，例如自信心不足，做事情畏首畏尾，犹豫不决；胆小退缩，依赖家长，不合群；有的心理幼稚，说话办事显得比实际年龄小等。有些家长觉得这没什么大不了的，只要学习好就行了，自己小的时候没人管也这样过来了，也就不注意采用科学的教育方法，更不屑于听取心理教育专家的指导，等到孩子长大出现问题后只能后悔莫及。其实性格包括一个人的态度和行为方式，如果一个人没有积极的心态和高效能的行为习惯，是无法取得成功的。

有一位家长是这样培养孩子的独立能力的。孩子的父亲在农村开了家兽医院，收益还不错，就在城里买了房子，把孩子和妈妈送到城里来。孩子的妈妈身体不好，总爱在床上看电视、吃瓜子，孩子回家后没有饭吃，写作业到晚上八九点还饿着肚子，跟妈妈说，妈妈却回答："自己去做！"孩子做好后，妈妈要求给她端一碗，吃完饭孩子还要负责刷碗、洗衣服才能睡觉。但是孩子的学习成绩在班里一直名列前茅，他说："如果我不考上大学，我得在家干一辈子活，我可受不了啦！"没想到妈妈的懒惰成就了孩子的自理和自立。这值得其他家长深思和借鉴——不要再给孩子包办代替了。

❖ 法 则 十 ❖

让孩子对学习和生活有控制力，让责任和理想成为学习的动力

方向盘好比是一个人的人生理想和目标，发动机是人的心理动力，代表着需求和勤奋，四个轮胎就是健康，汽油就是人的积极性和热情，这些因素缺少一个汽车都无法前进。为了让孩子能够主动学习、愿意学习、喜欢学习，家长需要尽早帮助孩子树立正确的人生目标和责任感，培养良好的学习习惯。孩子自己有了学习的需求和热情，就会自觉地主动学习，家长也会感到轻松。

1

帮助孩子克服心理枯竭和学习倦怠

我的孩子上初二了，缺乏学习的主动性，特别懒，只喜欢看电视、玩游戏和睡觉，经常迟到或者找个借口就不去学校了，老是没精打采的。家长说什么都不听，还说学习没用，从来不爱做家务，没有远大理想，不考虑未来，对别人要求很高，整天愤世嫉俗的，对什么都看不惯。我们和他一说话，他就要发脾气。我们都不知道该怎么办了！

焦急的家长

心理学家研究发现，人的行为是需要动机和需求的，一个人不可能无缘无故地坚持做一件事情。那么，孩子为什么学习？家长会认为是为了将来能找到好工作、有出息等，但是，孩子自己认为为什么而学习呢？为了兴趣吧，越来越觉得枯燥乏味；为了生计吧，家里什么都不缺；为了出人头地吧，根本就无所谓。许多家长都爱说这句话："我们这么辛苦都是为了谁呀？都是为了你！"孩子并不会因此就能体谅家长的辛苦，而是知道家长什么都会为自己着想，家里的一切都是为他准备的，他根本就不需要学习了。很多家长还爱说一句话："你什么都不用管，把学习管好就行了！"既然不需要孩子管，孩子当然就无法形成责任心了，他们为什么要去学那些暂时用不上的知识呢？所以，家长要让孩子对自己的人生负起责任。家长可以强调：

第一，家长只养育孩子到 18 岁，以后孩子就应该自立并且开始赡养父母了，即使孩子选择继续学习，家长也是借钱给他的，他是需要回报家长的养育的；第二，孩子自己的生活和家庭是需要他负责的，想要爱情、自由和独立，需要有生活保障；第三，国家需要孩子们去建设，否则就会丧失生存的国土。孩子有了责任感和使命感，才能在面对枯燥乏味的学习任务时选择坚持完成。

家长不仅要口头强调，还需要在行动上帮助孩子培养责任心，例如，坚持要求孩子做家务劳动，培养孩子的自理能力，尤其要培养孩子的独立性和控制力。

出现心理枯竭和倦怠的原因

（1）缺乏控制感：缺乏控制感很容易让人产生无力感，对学习失去兴趣。一个人的权力越大，对环境掌控得越好，他对专业产生倦怠的可能性就越小。

（2）学习任务界定不清：当一个人不知道自己要做什么的时候，就很难对自己的学习充满自信，也无法得知学习方法是否正确。

（3）生活中的人际关系矛盾。

（4）学习负担太重：无法结尾的工作，不可能完成的任务形成了负担。

（5）缺乏成就感：强烈的迷失感，不知道自己为什么学习；反馈不足，完美主义，回报不足；感觉自己大材小用。

以下是几种克服心理枯竭和学习倦怠的方法：

（1）进行有效的自我管理，控制自己的行为，学会适应环境。

（2）管理好自己的压力。

（3）为自己建立一个社会支持系统。

（4）通过学习不断掌握新的技能。

（5）使自己的学习更有趣味。

（6）让自己变得超脱一些。

（7）变换学习方法和途径。

心理枯竭自测量表：

（1）你的学习效率衰退了吗？

（2）在学习上，你的进取心降低了吗？

（3）你已对学习失去兴趣？

（4）学习压力比以前大？

（5）你感到疲惫或虚弱吗？

（6）你头痛吗？

（7）你有胃病吗？

（8）你最近体重减轻了吗？

（9）你睡眠有问题吗？

（10）你会感到呼吸短促吗？

（11）你的心情常改变或沮丧吗？

（12）你很容易就会生气吗？

（13）你常有挫折感吗？

（14）你比以前更会疑神疑鬼吗？

（15）你比以前更觉得无助吗？

（16）你使用太多药物（如镇静剂或酒精）来改变你的情绪吗？

（17）你变得越来越没有弹性了吗？

（18）你变得更爱挑剔自己和别人的能力了吗？

（19）你做得很多，但真正做完的很少吗？

（20）你觉得自己的幽默感减少了吗？

学习倦怠自测量表：

（1）你是否早晨总是不想起床，拖到最后一刻？

（2）你是否总觉得自己很疲惫？

（3）你是否最近很健忘，经常忘记约会、重要的事情甚至马上要做的事情？

（4）你是否会莫名其妙地感到头疼或背痛？

（5）你是否会很容易对自己的同学或家人发脾气？

（6）你是否会经常感到愤怒？

（7）你是否会经常感到自己穷于应付手头的事情？

（8）你是否会觉得自己无论是在教室还是在宿舍里都毫无控制感？

（9）你是否开始怀疑自己当初的专业选择是个错误？

（10）在上课的时候，你是否经常看表，看距离下课还有多长时间？

（11）你是否会做一些毫无意义的事情来打发时间？

（12）你是否觉得学习中已经没有什么能够让你兴奋的东西？

（13）你是否经常感到厌烦？

（14）你是否感觉自己陷入了一种透明的轨道，每天的生活都千篇一律，又无从改变？

2

在家务劳动中培养孩子的责任心

我的孩子特别贪玩，爱玩小孩子才玩的东西，好像永远长不大，做事情拖拖拉拉、丢三落四的，自己的屋子永远是乱七八糟的，从来都不愿意做家务，我们也知道劳动习惯很重要，可是怎么让孩子主动劳动呢？

一位家长

人的劳动观念是后天培养的，不是一生下来就喜爱劳动的。即使有主动的行为，也只是无意识的模仿，可以说，大多数孩子都不喜欢干家务活。我们常常可以看到，为了一个简单的倒垃圾，父母都要和孩子磨半天嘴皮子，叫几次孩子才动一动。面对这种情况，不少家长就自己包办代替了，一边自己做了，一边数落孩子，造成孩子又懒惰又不耐烦，家长的这种做法真是费力不讨好。

孩子做一些力所能及的家务活，不仅可以培养他们的生活能力，还可以培养他们的责任感。

培养孩子主动做家务的原则

1. 应从小培养孩子做家务的兴趣。

孩子还在幼儿阶段时就有一些参与和模仿的本能，大人干什么，他们也喜欢干什么，而且不同的年龄阶段有不同的重心。例如，1 ~ 2 岁的孩子喜欢将地上的东西捡起来交给妈妈，3 岁的孩子喜欢帮助父母拿这拿那，4 岁的孩子喜欢摆餐具，等等。许多父母在孩子这个阶段总怕孩子受伤而限制孩子的行动，这样反而挫伤了孩子的积极性。父母应该利用孩子这段时间里对事物的兴趣，引导他们从玩耍转向劳动。例如，培养孩子将脏衣服扔到洗衣盆里，把干净衣服放进衣柜里，把玩具放进箱子里等好习惯。家长应该很高兴有个小助手而不是累赘，这样孩子也会乐于帮助家长干活。小时候收拾玩具，长大了就会愿意收拾房间，使这些家务劳动变成他们生活中很自然的事，而不是负担，当然，他们也就会自觉地去做了。

2. 家长要对孩子提出合理的要求，并以身作则。

要求孩子做的家务事要与孩子的年龄相称，不要由着孩子的性子来。小孩子往往天不怕地不怕，为了表现自己，做一些力所不能及或有一定危险的事情，例如，2 岁的孩子给妈妈拿菜刀、剪刀之类的物品，4 岁的孩子去拿热水瓶等，这些都是不应该鼓励的，而应及时加以制止。在孩子想做这种尝试时，家长要对孩子明确地说："你现在年纪还小，不能做这件事，等你长大了以后再做。"这样，孩子就特别盼着长大后能做这件事。当家长觉得孩子可以胜任时，就对他说："好了，你可以去取牛奶、买饭了。"孩子就会很高兴，乐于完成这项工作。

家长不要一下子给孩子提出过高的要求。在开始做一件新的工作之前，应先给孩子做示范，耐心教孩子学会做这件事的程序。孩子学会后，一开始做时肯定笨手笨脚的，家长不要着急，也不要训斥孩子，更不要抢过去代替他做，应该鼓励孩子做下去，多锻炼几次之后，就会越做越好了。

3. 家长要监督孩子完成任务，不要撒手不管。

在孩子养成劳动习惯之前，家长不能下完指令后，就不管他完成的过程了，因为孩子缺乏意志力和自觉性。家长需要在场督促孩子完成任务，提醒他该做什么事，但是，切忌过分唠叨，以免引起孩子的反感。例如，你快做完饭时，提醒孩子该摆桌子和碗筷了。等孩子养成习惯后就不用提醒了。还可以刻意培养孩子"条件反射"式的劳动观念，比如，吃完饭后洗碗，睡觉前收拾书包，早上起床后整理房间等，将孩子的劳动时间与每天要做的事联系起来，孩子自然而然地就会去做了。

4. 家长要逐步培养孩子自觉独立完成家务劳动的能力。

当孩子年龄比较小或习惯刚开始培养时，需要家长的督促，随着孩子年龄的增长和能力的提高，家长应逐渐放手让孩子独立完成工作。不是说完全放手不管，可以采用图表的方式，将孩子要做的事及程序列成时间表，还可以把奖励写上，将表贴在醒目的地方，然后定期检查孩子的工作。不要经常唠叨，这样容易让孩子产生依赖性。只偶尔提醒孩子一下就好，语言要简单明了。例如，建议孩子下午 2 点之前将面条买回来，而不用过细地交代如何做。

5. 适当运用表扬和处罚。

当孩子干完家务活后，家长不要无动于衷，应该让孩子知道父母很高兴，这样他下次就会继续这样做。大多数父母对孩子要求过高，孩子一做什么事，他们就挑这错挑那错，结果孩子索性不做了。

除了表扬外，还可以给予适当的奖励。例如，孩子可能特别想去看一场球赛，也可能特别想得到一件运动衣，家长可以用记分的方式，根据孩子干家务活的多少、好坏累加得分，鼓励孩子来换取奖品。

如果孩子没有按照要求去做，可以减扣他的得分，也可以用"矫枉过正"的方式来纠正孩子的毛病，这对于健忘的孩子效果尤其好。比如，孩子总是忘记洗自己的袜子，家长就要提醒他如果再这样就要他洗全家人的袜子，并说到做到，不妥协让步，也不能找代替办法。此外，还可以用减少零花钱的方法作为处罚。

3

怎样帮助孩子形成控制力

我的女儿看上去是个特别乖的孩子，我们一大家子（尤其是老人）对她照顾得很周到，什么都不让她做，一心只希望她把学习搞好就可以了。但是，我们现在发现，她在生活和学习各方面都很被动，什么都等着家长替她做，尤其是遇到困难时，总是要依赖家长。例如复习功课，如果没有家长的帮助肯定会考得一塌糊涂。而且她看上去很幼稚，脑子里好像什么都不操心似的，都是家长替她着急。这要是上了中学、大学该怎么办?

一位家长

孩子会成为什么样的人，首先取决于家长把孩子看成和当成什么样的人。家长永远把孩子看成小孩子一样需要去照顾，那孩子当然把自己当作长不大的孩子，而且愿意永远生活在童话世界里，可现实生活不是童话世界，家长根本不可能照顾孩子一辈子。家长对孩子的生活控制得越周密，孩子对自己的生活把控程度就越低，当然容易产生被动、软弱、懒惰和依赖。家长如果不给孩子机会锻炼得能够控制自己的生活，孩子可能会一无是处，最终被社会淘汰。

如何培养孩子的控制力

培养孩子的控制力，在生活的每一个阶段都有不同的要求。婴儿期的孩子要让他有机会通过大哭来控制自己的表达，自己抱奶瓶喝奶或喝水，控制自己的手或脚干自己想干的事，通过爬行去拿玩具、扔东西、抓握玩具、搭积木等。幼儿期的孩子要让他有更多的活动范围和控制内容，例如 1 岁的孩子就可以被允许自己吃饭、喝水，2 岁的孩子可以自己脱袜子，3 岁可以拍球、爬楼梯、坐秋千、蹦跳，4 岁可以画画、弹琴，5 岁可以跳绳、写字、学做家务等，儿童期的孩子要学会自己收拾书包、削铅笔、独立完成作业、游泳、骑车、打球、与同学交往。

有的家长教孩子学会控制时间，让孩子自己上闹钟，早晨负责叫大家起床。大人的做饭、上班、出去玩等活动都让孩子负责提醒时间，很快孩子就有了时间观念，并且很愿意自己先起床然后用时间管理别人。

有的家长要求孩子负责某些家务劳动，例如拖地板、喂金鱼、给花浇水或者洗碗，做完了适当给予劳务费作为奖励。孩子由此体会了家长劳动的辛苦，用劳动换来价值，每当他想买什么东西时，会联系到自己的劳动，进而控制自己的欲望。

有的家长让 9 岁大的孩子负责管理家里的伙食费、记账和做购物计划，如果他自己花多了，那个月菜钱不够的话就要吃咸菜，这样孩子很快就学会控制钱该怎么花了。

另外，有的家长让孩子负责出门看地图和路标，去商店负责写购物清单，学习做饭，学习买东西，等等。你赋予孩子责任，孩子才会形成责任感，才愿意去承担一个人应该承担的事情，而不是逃避和依赖。

研究表明，除了学习之外，孩子会做的事情越多，对生活的控制能力就越强，进而自信心就越强，生活也越主动，越不容易产生倦怠情绪，对于学习会有非常大的促进作用。

4

培养孩子制定学习计划，树立人生目标

我的孩子学习从来没有计划性，即使逼着他做计划，也不按计划执行。学习凭兴趣，热情来了，拼命学习几天，然后感觉累了又玩几天。成绩也不稳定，忽高忽低的。如果家长和老师不盯紧，他就会非常自由散漫。我们的教育也有些问题，我比较爱唠叨，忍不住包办孩子的事，提醒他这个那个的。而他爸爸则完全撒手，什么都不上心，平时不怎么管孩子，考得不好了就跟孩子急，孩子也不听他的。我们不知道该怎么管好孩子，请帮帮我们！

一位家长

心理学家研究表明，一般孩子到了六七岁，要解决的人生命题是："我是从哪儿来的？"到了十三四岁，他们要解决的人生命题是："我将向何处去？成为什么样的人？"到了 25 岁要

解决的人生命题是："我是谁？"因此，孩子在青春期就应该为自己的未来考虑，初步树立人生理想和目标。但是，如果家长为孩子做得太多、想得太周到了，孩子没有自己的需要，就不会有什么追求和目标。如果家长自己没有人生理想和目标，也不能给孩子做好的榜样。如果家长只让孩子埋头学习，从不给孩子机会去抬头看路，孩子也很难想到自己的人生出路。

人有了需求才会产生目标和理想，怎样让孩子产生需求呢？心理学家马斯洛研究发现，人的需求是从低到高逐步发展的，如图 10-1 所示，满足了低级需求后才产生高级需求。

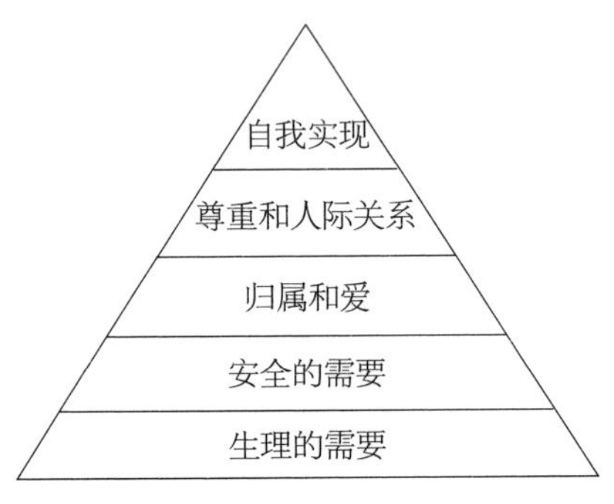

图 10-1　马斯洛需求层次

让孩子产生学习的需求

学习是为什么？为了取得好成绩？为了虚荣心？为了讨父母欢心？为了获得别人的认可？为了找个好工作？为了乐趣？在贫困家庭里生活的孩子很容易就明白，学习是为了改变命运。

经常需要劳动、挨过饿、受过累的孩子也很容易明白，通过学习能让人过上更轻松的生活。所以，家长不要过度满足孩子的物质需求，要适当地剥夺一些。不要把最好的都留给孩子享受，在物质条件上不让孩子受任何委屈，更不让孩子做任何家务劳动，孩子不知道艰苦和劳累的滋味，是不可能产生学习需求的。家长要在精神上给予孩子鼓励、理解和支持，而物质上要适当地不满足，以促使孩子产生学习需求。

每当孩子取得好的或是不好的成绩，家长都不要过于高兴或不满，而要让孩子知道，学习真的是他们自己的事，是改变他们命运的途径，不是为家长而学习。例如，孩子放学后先做什么，可以让孩子自己选择：先做作业还是先做家务，都是对孩子有利的，将来的人生也是如此选择，不学习就劳动。如果他们选择了玩，家长也跟着玩，饿了怎么办？只能大家一起做饭、劳动，下次孩子就知道该做什么了。一味玩就意味着要挨饿，这个道理不是讲出来的，而是要让孩子体验出来的。

人的最高需求是实现自己所有的潜力，做一个对社会有用的人，一个人只有对他人有价值，社会才会赋予他价值。要让孩子体会这一点，先要善于发现孩子的价值，对于孩子的发现、发明、进步、对问题的认识都要表示欣赏，尤其对于孩子观点的独到之处，要懂得鼓励，不要无情地打击。成功心理学家克里斯顿的孙子在上小学时五音不全、数学不好、协调性不好，他没有强迫孩子学音乐、奥数和体育，而是关注孩子的兴趣。他发现孩子很会算账，就问孩子最想干什么，孩子说想办个公司，用业余时间批发文具，于是他鼓励孩子成立了总公司和分公司，帮助同学购买文具，自己还挣了不少零花钱。到了中学后，爷爷又问他将来想做什么，他说想学心理学，虽然他的音乐、体育和数学不是长项，但是他的思维能力和沟通能力很好，后来也成了成功的心理学家。如果家长看别的孩子学什么，也让自己的孩子去学，甚至去学习并不擅长的事，孩子不喜欢，也不可能有成就，更找不到自己的人生坐标。

家长的榜样作用很重要，有些家长把自己未实现的理想寄托在孩子身上，结果孩子没有自己的理想和快乐，活得特别累。而有的家长自己活得很成功，没时间管孩子，对孩子没有任何要求和引导，孩子茫然而散漫，浑浑噩噩，过一天算一天。除了家长的榜样以外，还可以让孩子接触一些成功人士，例如聆听大科学家的演讲，孩子也会因为佩服而憧憬成为那样的人。

另外，做慈善事业、义工、志愿者等，可以让孩子体会帮助别人的乐趣，进而产生人生的价值感。旅行和不同生活的体验，可以让孩子开阔眼界和胸怀，产生远大的理想。这些都是家长可以尝试的。